Peter Reichel

Schwarz-Rot-Gold

Schriftenreihe   Band 492

Peter Reichel

Schwarz-Rot-Gold

Kleine Geschichte
deutscher Nationalsymbole
nach 1945

bpb: Bundeszentrale für politische Bildung

Bonn 2005
Lizenzausgabe für die
Bundeszentrale für politische Bildung

© Verlag C. H. Beck oHG, München 2005

Umschlaggestaltung: Michael Rechl, Kassel
Umschlagfotos: zerstörter Reichstag 1945, picture-alliance/AKG
                Reichstag 2003, picture-alliance/dpa

Satz: Fotosatz Janß, Pfungstadt
Druck und Bindung: GGP Media GmbH, Pößneck

ISBN 3-89331-613-2

INHALT

II. DENKMÄLER UND STAATSBAUTEN

ANHANG

VORWORT

Jeder Staat ist auch sinnlich wahrnehmbar – durch seine Flagge und Hymne, seine Jahrestage, nationalen Denkmäler und Staatsbauten. Er muß für die Menschen, die in ihm leben und sich mit seiner Verfassung identifizieren sollen, auch symbolisch sinnfällig werden. Das ist in Deutschland schwieriger als anderswo. Vor allem unsere französischen Nachbarn kann man in dieser Hinsicht nur neidvoll bewundern.

Frankreich hat mit der Trikolore und der Marseillaise nicht nur die beiden Urformen der modernen Staatszeichen ‹erfunden›, die revolutionäre Volkshymne und die dreifarbige Flagge, wie sie zahlreiche der im 19. und 20. Jahrhundert neu entstandenen Nationalstaaten übernommen haben. Farben und Hymne erfreuen sich in Frankreich bis heute zudem ungebrochener Beliebtheit. Die Franzosen schmücken sich und ihr Land alljährlich am 14. Juli nicht nur verschwenderisch mit der blau-weiß-roten Trikolore, sie malen die Farben ihrer nationalen Identität auch noch mit Kondensstreifen in den Himmel über Paris. Und stolz stimmen sie in ihren revolutionären Kampfgesang ein, «Allons, enfants de la patrie», das «Hoffnungslied der zivilisierten Menschheit» (Alphonse Aulard).

Die Deutschen können da nicht ganz mithalten. In ihrer Nationalsymbolik spiegelt sich ein langer, wenig erfolgreicher Kampf um Freiheit, nationale Einheit und Demokratie wider – mit Niederlagen, gescheiterten Revolutionen, Systembrüchen, Kriegen und Gewaltverbrechen. Hierzulande gab es immer wieder Hymnen- und Flaggenstreit und in einhundert Jahren gleich vier Flaggenwechsel! In der Auseinandersetzung um das Deutschlandlied und die deutsche Trikolore erfuhren die politischen Systemalternativen ihren wohl markantesten symbolischen Ausdruck: Schwarz-Rot-Gold und die dritte Strophe des Deutschlandliedes stehen für den demokratischen Staat, Schwarz-Weiß-Rot und die erste Strophe unserer Hymne für das autoritäre Gegenmodell.

Deutschland hat aber nicht nur seine Flaggen und Hymnen, sondern auch seine nationalen Feier- und Gedenktage in der Konfrontation der politischen Lager gegeneinander ausgespielt und im Wechsel der politischen Systeme verbraucht. Der Verschleiß an Jahrestagen war enorm. Die Kaisergeburtstage und die als Reichsgründung inszenierte Kaiserproklamation am 18. Januar 1871 in Versailles blieben im wesentlichen «Feste des Reichs und der Reichen», wie die Sozialdemokraten spotteten. Diese höfischen und hauptstädtischen Feste der bürgerlichen und aristokratischen Oberschichten hatten eher exklusiven Charakter und gingen mit dem Reich unter. Der Sedantag, das einzige reichsnationale Volksfest, blieb in seiner integrativen Wirkung begrenzt. Denn die Botschaft dieses Jahrestages hieß, Deutschland stark zu machen gegen seine äußeren und inneren Feinde. Die Arbeiter antworteten auf die Stigmatisierung als «vaterlandslose Gesellen» mit der kulturellen Gegenmacht eigener politischer Feste – den März-, Lassalle- und Gewerkschaftsfesten; ab 1890 kam der 1. Mai* hinzu.

Spätestens 1918 war es dann mit Glanz und Gloria zu Ende. Den Krieg hatten die Deutschen verloren, und ihren Kaiser auch. Nur das Reich war ihnen geblieben und die Sehnsucht nach nationaler Größe. Durch den Versailler Kriegsschuldvorwurf fühlten sie sich in ihrer nationalen Ehre gekränkt. Durch den ‹inneren Dolchstoß› der Räte-Revolution glaubten sie sich um den Sieg betrogen. Weimar wurde vor allem deshalb als ‹graue Novemberrepublik› verachtet, weil die neue politische Ordnung die Herzen der Massen nicht erwärmte. Mochten sich ihre Repräsentanten

---

* Die mit * gekennzeichneten Wörter werden im Anhang erläutert.

auch nach Kräften um eine symbolische Formgebung für Reich und Republik bemühen.

Im Innern zerstritten und international ohne Rang und Ansehen, fehlten ihr nationalrepräsentative Denkmäler und moderne Staatsbauten ebenso wie der «Glanz allgemeiner Feste» (Arnold Brecht). Die Monarchisten hielten am 18. Januar fest, die Kommunisten wollten den 9. November als nationalen Feiertag, den die Nationalsozialisten seit 1923 ebenfalls für sich reklamierten, weshalb die Parteien der Weimarer Koalition (SPD, DDP, Zentrum) mit der Durchsetzung des Verfassungstages, dem 11. August, glücklos blieben. Das politische Fest hat in der Weimarer Republik nur in einer Art negativer Dialektik identitätsstiftende Bedeutung entfalten können – in den Staatsbegräbnissen für früh verstorbene oder ermordete Repräsentanten der Republik: Walther Rathenau, Friedrich Ebert, Gustav Stresemann, Hermann Müller. In der beschwörenden Klage über den drohenden Untergang verwandelten sich große Teile der tief gespaltenen Gesellschaft temporär in eine klassenübergreifend trauernde Massendemonstration für die Republik. Vergeblich.

Der totalitäre NS-Staat, der seiner Natur nach auf die Institutionen und Vermittlungsformen des bürgerlichen Verfassungsstaates nicht bauen konnte, war um so stärker auf Visualisierung seiner Macht und auf Massenbeeinflussung durch festliche Selbstdarstellung angewiesen: im Führerkult, in den Selbstfeiern der ‹Volksgemeinschaft› am 1. Mai, beim Erntedankfest oder der ‹Deutschen Weihnacht›, in seinen Monumentalbauten, wie er sie auf dem Nürnberger Reichsparteitagsgelände früh baute und für die ‹Welthauptstadt Germania› in Berlin plante, und nicht zuletzt im Totenkult. Zwei der zunächst drei, ab 1937 vier nationalen Feiertage galten der Totenehrung: der ‹Heldengedenktag› am 16. März und der Gedenktag für die ‹Gefallenen der Bewegung› am 9. November. Das NS-Regime verklärte das Sterben fürs Vaterland zur Ewigkeit des Heldenlebens und machte aus dem Massensterben massenhaft Todeskitsch. Der Nationalsozialismus hat die Ästhetisierung der Politik so virtuos genutzt und für seine verbrecherischen Ziele so gründlich mißbraucht, daß dieses für den emotionalen Zusammenhalt jedes Gemeinwesens unentbehrliche Feld nachhaltig kompromittiert war und nur wenige nationale Symbole die Zeit unbeschädigt überstanden.

Der Bundesrepublik mußte die Kunst, Staat zu machen, aber auch deshalb schwerfallen, weil diese in der Republik einer gewissen Selbstbeschränkung unterliegt. Höfische Prachtentfaltung und der sterile Personenkult autoritärer Systeme sind ihr jedenfalls fremd. Mag republikanische Repräsentationslust, zumal im Medienzeitalter, auch nicht auf Staatsarchitektur und Staatszeremoniell verzichten, Glanz und Gloria ersetzt sie durch Galadiners und Gartenfeste. Für sie sind nicht mehr Reich oder Nation, Volk oder Rasse, Kaiser oder Führer politische Letztwerte, sondern das bürgerliche Rechtssubjekt und allgemeine, vorstaatliche Menschenrechte.

Dem demokratischen Verfassungsstaat gemäß ist das «Pathos der Nüchternheit». Den Hurrapatriotismus des kaiserdeutschen Kasernen- und Kneipenmilieus hat er in den Verfassungspatriotismus unserer Tage verwandelt. Die Republik gründet vor allem auf der Rationalität von Rechten, abstrakten Werten und Verfahren. Sie appelliert an die Vernunft und den kritischen Sachverstand des Staatsbürgers, muß überzeugen, nicht überreden wollen, setzt auf den öffentlichen Diskurs und pluralistische Willensbildung. Sie spekuliert nicht auf die Suggestion und Faszination der Massen durch die Inszenierung staatlicher Macht und nationaler Größe und Mission.

Aber auch sie ist auf die affektive Bindung der Menschen an das Gemeinwesen angewiesen. Auch sie muß versuchen, der Bevölkerung ein sinnlich attraktives Identifikationsangebot zu machen und aus der Vielzahl historisch bedeutsa-

mer Initialereignisse ein Feier- und Gedenktagsgewand zu
schneidern, das auf historisch-kritische Kontinuität achtet
und sinnstiftende Deutungen anbietet. Dem neuen, verfas-
sungspatriotisch definierten Staatsverständnis hätte als nationaler Feiertag der 23. Mai entsprochen, der Tag, an dem
das Grundgesetz in Kraft trat. Er blieb so blaß und unpopulär wie in der Gegenwart der 3. Oktober. Unpopulär und umstritten waren lange auch die Erinnerungstage, die sich wie
der 8. Mai, der 20. Juli und der 9. November auf die Zeit des
Nationalsozialismus beziehen.

Anders verhielt es sich in der DDR. Das vorgeblich neue
Deutschland legte sich von Anfang an keine Zurückhaltung
in der politischen Selbstdarstellung und Selbstfeier auf. Par-
tei- und Staatsführung bemühten sich, in den großen Gedenkstätten und in der Permanenz farbig-fröhlich formier-
ter Massendemonstrationen an den vielen Staatsfeiertagen
Profil zu gewinnen, vom 1. Mai, dem internationalen Arbeiterkampftag, über den 8. Mai, an dem sich die DDR im antifaschistischen Gründungsmythos an der Seite der Sowjetunion als Sieger des Zweiten Weltkrieges präsentierte, bis
hin zum 7. Oktober, ihrem Staatsgründungstag.

Wer einen Überblick über die je aktuelle nationale Symbolik gewinnen will, muß sich mit Staatsfeiertagen, Hymne
und Flagge befassen, aber auch den nationalen Denkmälern
und der politischen Architektur zuwenden. Bei den Staatsbauten waren Entwertung und Verschleiß nicht minder groß
als bei den politischen Feiertagen und nicht weniger eine
Folge der politischen System- und Hauptstadtwechsel. Krie-
gerische Zerstörungen kamen hinzu. In gleich drei Städten
stehen nationale Parlamentsbauten. Sie spiegeln den beschwerlichen Weg der Parlamentarisierung Deutschlands
wider. Öfter als anderswo wurde der Amtssitz des Kanzlers
neu- oder umgebaut, was der Symbolisierung der gouverne-
mentalen Politik abträglich war. So ist die Zahl der Denkmäler und Staatsbauten, die den Rang von Nationalsymbolen

für das aus der Nachkriegszeit hervorgegangene Deutschland beanspruchen können, überschaubar geblieben: das Brandenburger Tor, die Frankfurter Paulskirche, der Berliner Reichstag, das neue Kanzleramt, die Neue Wache, die zentralen NS-Erinnerungsorte, kaum mehr.

Groß ist schließlich die Zahl der seit dem frühen 19. Jahrhundert errichteten Denkmäler, die nationalrepräsentativen Anspruch erheben. Sie künden von den Großen der deutschen Kulturnation, noch mehr aber von großen Kriegen, die jedenfalls ihre Zeit auch für Großtaten hielt. Ihre Helden wurden in Stein gehauen und in Bronze gegossen und waren, wenn nicht für die Ewigkeit, dann doch Generationen zum verpflichtenden Vorbild bestimmt. Viele dieser Nationaldenkmäler haben die Zeiten überdauert, aber sie sind – unserem historischen Bewußtsein inzwischen weit entrückt – heute kaum mehr als beliebte Ausflugsziele und Touristenattraktionen, wie das Hermannsdenkmal, das Völkerschlachtdenkmal oder die Berliner Siegessäule, um nur einige zu nennen.

Die Bundesrepublik sucht für die historische Legitimierung ihrer Wertgrundlagen anderswo Anschluß, im kulturellen Erbe, in den demokratischen Traditionen. Zugleich muß sie sich mit der extrem negativen Erblast der NS-Diktatur auseinandersetzen. Daraus sind zahlreiche neue Denkmäler und Gedenkstätten hervorgegangen, welche die komplexe und widerspruchsvolle nationale Identitätsbildung an die traumatischen Orte der Großverbrechen verweisen. An ihnen hat sich immer wieder der Streit um Deutung und Darstellbarkeit der nationalsozialistischen Vergangenheit entzündet. Dabei wurde die Grenze der Definitionsmacht staatlicher Denkmalsetzer ebenso offenbar wie die Grenze denkmalästhetischer Aussagen.

Es hat seinen Grund, daß ein ephemeres Denkmal, Willy Brandts legendärer Kniefall vor dem Mahnmal für den Warschauer Ghettoaufstand, in unserem visuellen Gedächtnis zu einem möglicherweise dauerhafteren politischen Symbol geworden ist als die vielen im öffentlichen Raum errichteten materialen Erinnerungszeichen. Die öffentliche Demutsgeste eines deutschen Bundeskanzlers, Repräsentant des anderen, des widerständigen, verfolgten und ins Exil getriebenen Deutschland, war ein stellvertretender Akt symbolischer Politik für alle jene, die dies hätten tun müssen, aber nicht tun konnten oder nicht wagen mochten. Mehr als die Hälfte der damals 30–60jährigen hielten die Geste Brandts für übertrieben: «Ein deutscher Kanzler kniet doch nicht, und schon gar nicht in Polen ...»

Wie stellt sich heute unsere politisch-nationale Symbolik dar, wie läßt sie sich darstellen und bewerten – fast ein Menschenalter nach Ende des Krieges, nach Doppelstaatsgründung, Teilung und Wiedervereinigung? Nach dem Mißbrauch politischer Symbolik durch das Dritte Reich und angesichts der aufwendigen, antifaschistisch-heroischen Selbstdarstellung der DDR? Die Bonner Republik, die sich als Treuhänder des Deutschen Reiches, aber auch als teilstaatliches Provisorium verstand, hielt sich mit ihrer politischen Symbolik verständlicherweise lange zurück. Die Berliner Republik hat diese Zurückhaltung tendenziell aufgegeben und sich mit dem neuen Kanzleramt und der neuen Reichstagskuppel immerhin zwei Glanzstücke politischer Architektur erlaubt. Längst sind sie zusammen mit der Quadriga des Brandenburger Tors und den düsteren Steinblöcken des Mahnmals für die Ermordung der europäischen Juden zum telegenen Logo der Hauptstadt avanciert. Nur an einem Ort verhält sich die Republik noch zögerlich und fragt sich: Stadtschloß oder Volkspalast – was soll in die Mitte?

I. FARBEN, HYMNEN, JAHRESTAGE

SCHWARZ-ROT-GOLD

Flaggenwechsel und Flaggenstreit

Wer an Flaggen denkt, hat sehr verschiedenartige Bilder vor Augen – beflaggte Schiffe oder fahnengeschmückte öffentliche Gebäude, mit Fähnchen winkende Kinder oder fahnenschwenkende Olympiasieger, unter Fahnen marschierende Demonstranten oder den in Fahnentuch gehüllten Sarg eines toten Staatsmannes. Immer scheint ein nicht unerheblicher Gefühlswert im Spiel zu sein, zumal dann, wenn es um die nationalen Farben geht. Die Fahne als Zeichen des Triumphes und der Trauer, der Ehrung und des Protestes – kaum ein anderes Symbol kann so vielseitig genutzt werden wie dieses. Leicht verständlich, gut sicht- und hoch emotionalisierbar, zumeist farbig-bildlich gestaltet, ist es in vielen Situationen nützlich. Gerade auf unübersichtlichem Terrain, ob zu Wasser oder zu Lande, erlaubt es schnelle Orientierung und verläßliche Unterscheidung von Freund und Gegner. Bisweilen stiftet es allerdings auch nur Verwirrung. Wie in Chaplins *Modern Times*. Unfreiwillig wird er zum Streikführer, als er einem Lastwagen mit einer roten Warnfahne, die dieser verloren hat, nachläuft und dadurch streikende Arbeiter veranlaßt, ihm zu folgen.

Kaum verwunderlich, daß Deutschland auch in dieser Hinsicht ein aufschlußreiches Beispiel bietet. Es ist ein Land der vielen Flaggen- und politischen Systemwechsel und des wiederholten Flaggenstreits. Berühmt sind die Bilder von den Staatsbegräbnissen Rathenaus, Eberts und Stresemanns, als sich die Republik in Berlin und vielen anderen deutschen Großstädten in schwarz-rot-goldenes Fahnentuch hüllte, von Trauerfloren durchsetzt. Berühmt ist das Bild, das siegreiche Rotarmisten beim Hissen ihrer Fahne auf dem schwer zerstörten Reichstagsgebäude zeigt. Und nicht weniger berühmt ist das Bild von aufständischen Ostberliner Arbeitern, die am 17. Juni 1953 die verhaßte sowjetische Fahne vom Brandenburger Tor niederreißen.

Das Verlangen nach einer deutschen Reichsflagge wurde laut, als durch die antinapoleonischen Befreiungskriege nicht nur Frankreich besiegt war, sondern nun auch die Aussicht auf einen deutschen Nationalstaat Gestalt annahm. Als Urform der schwarz-rot-goldenen Trikolore gilt jene schwarz-rote Fahne mit goldenen Fransen, die im Frühjahr 1813 für eine «deutsche Freischar», das Lützowsche Freikorps, angefertigt wurde. Unter diesem Feldzeichen sollten die antinapoleonischen Volksaufstände in ganz West- und Süddeutschland von den Lützowern organisiert werden. Diese Farben entsprachen auch ihrer Uniform. Dafür war jedoch ein eher praktisches Erfordernis ausschlaggebend: Schwarz – so ließen sich die Röcke am besten einheitlich färben. Gelbe Knöpfe und rote Vorstöße an Kragen und Aufschlägen kamen hinzu. Auf die Reichstradition bezogen sich die Farben nicht, so sehr sie auch an die des Kaiserbanners des Heiligen Römischen Reiches erinnern mochten: an den schwarzen Adler* mit roter Zunge und roten Fängen auf goldenem bzw. gelbem Grund. Dieser historische Bezug ist freilich später der breiten und nachhaltigen Akzeptanz des ‹deutschen Dreifarb› zugute gekommen. Zufall und altdeutsche Tradition wirkten also bei der Entstehung der neuen deutschen Farben zusammen.

Für die weitere Entwicklung kommt ‹Turnvater› Friedrich Ludwig Jahn eine wichtige Rolle zu. Er war an der Gründung der Jenaer Burschenschaft entscheidend beteiligt, die wesentlich unter dem Eindruck der Rückkehr Napoleons stand – mitten im neuen Freiheitskrieg. Das Feierkleid bestand aus einem schwarzen Waffenrock – Jenaer Studenten hatten zuvor bei den Lützowern gekämpft – mit roten Samtaufschlägen, die Schärpen schwarz und rot mit Gold durchwirkt. Daraus sollte die ‹deutsche Volkstracht› hervorgehen. Im März 1816 schenkten die Damen der Stadt der Jenaer Burschenschaft eine Fahne, die nun aus drei Bahnen Rot-Schwarz-Rot bestand und auf dem schwarzen Mittelstreifen einen goldenen Eichenzweig* trug. Als dann 1818 für die deutsche Burschenschaft eine allgemeine Farbe festgelegt werden mußte, entschied man sich mit einer gewissen Folgerichtigkeit für Schwarz-Rot und Gold.

Nachdem der Wiener Kongreß und die deutsche Bundesakte die allgemeine Hoffnung auf einen großen und konstitutionell geeinten deutschen Staat enttäuscht hatte, entstand in der Jenaer Burschenschaft die Idee, anläßlich des bevorstehenden 300. Jahrestages der Reformation und des vierten Jahrestages der Leipziger Völkerschlacht erneut für die gesamtdeutsche Sache zu werben. So luden die Jenaer Studenten ihre Kommilitonen aus allen protestantischen deutschen Universitäten zu einem Fest auf der Wartburg ein – jenen schon zu Beginn des 19. Jahrhunderts prominenten deutschen Erinnerungsort. Er war die zentrale Stätte des Luthergedenkens und durch die Romantik als Ort berühmter deutscher Minnesänger wiederentdeckt worden. Richard Wagner hat ihm im *Tannhäuser* ein musikalisches Denkmal gesetzt.

Am Morgen des 18. Oktober 1817 zogen über 500 Studenten, von vielen Eisenachern begleitet, in alt-deutscher Tracht und unter der schwarz-roten und golden verzierten Fahne zur Wartburg hinauf. Die Veranstaltung fand im Rittersaal statt, teils protestantischer Gottesdienst, teils politische Kundgebung – und endete mit einem Eklat. Abends versammelte sich eine kleine Studentengruppe um ein ‹Siegesfeuer›. Sie ließen Schriften der Restauration ebenso in den Flammen aufgehen wie den *Code Napoléon* als Instrument der Fremdherrschaft, die *Germanomanie* des damals populären jüdischen Aufklärers Saul Ascher sowie einen

österreichischen Korporalsstock und einen preußischen Ula-
nenschnürleib – Symbole der Unterdrückung.

Die Ermordung des Theaterdichters und scharfen Kriti-
kers der aufbegehrenden Studenten, August von Kotzebue,
durch den Burschenschafter Karl Sand, der auch am Wart-
burgfest teilgenommen hatte, bot den deutschen Fürsten mit
den Karlsbader Beschlüssen ein wirkungsvolles Instrument
zur Unterdrückung der national-freiheitlichen Studentenbewegung. In der Opposition gegen fürstlichen Despotismus
bekannte sie sich nun mehr und mehr zu der Farbe, die für
sie zum Symbol der Forderung nach nationaler Einheit und
bürgerlicher Freiheit wurde, zu Schwarz-Rot-Gold.

Zu einem neuen Höhepunkt der vormärzlichen Nationalbewegung geriet das Hambacher Fest 1832. In der Pfalz feierte man diesen Tag, wie einer der Redner emphatisch erklärte, als «Geburtstag der deutschen Nationalität und der
europäischen Gesamtfreiheit». Mehr als das studentische
Wartburgtreffen gilt dieses Fest als der eigentliche Geburtstag des ‹deutschen Dreifarb›. Alle, die daran teilnahmen, trugen die ‹deutsche Nationalkokarde›. Bis zu dreißigtausend
Menschen versammelten sich unter schwarz-rot-goldenem
Fahnentuch – die einen demonstrierten für eine demokratische deutsche Republik, andere für die konstitutionelle Einheit durch Kaiser und Reich.

Heinrich Heine, der sich in Deutschland nicht sicher fühlen konnte und diese Entwicklung aus Paris verfolgte, hatte
Vorbehalte gegen ein neues Deutschland, das sich auf Kaiser
Barbarossa berief. Er bekannte sich aber zur deutschen Trikolore, wie sie die radikal-demokratische Strömung auf dem
Hambacher Fest beschworen hatte: «Pflanzt die schwarz-rot-
goldene Fahne auf die Höhe des deutschen Gedankens,
macht sie zur Standarte des freien Menschentums, und ich
will mein bestes Herzensblut für sie hingeben.»

Wenige Jahre später wehte diese Standarte des freien
Menschentums auf deutschen Schlössern, Rathäusern und

Kirchen. Der neue Anstoß für die Nationalbewegung kam wiederum aus Frankreich. Die Pariser Februarrevolution beschleunigte die innerdeutsche Entwicklung. Noch vor dem Rücktritt Metternichs am 13. März, noch vor den Berliner Straßenkämpfen am 18. März entluden sich in den südwestdeutschen Staaten Unmut und oppositionelle Forderungen in revolutionären Erhebungen.

Der Bundestag, der bis dahin das Tragen der Farben Schwarz-Rot-Gold als politisches Verbrechen verfolgt hatte, versuchte nun, sich an die Spitze dieser rasanten Entwicklung zu setzen, und machte den Dreifarb am 9. März 1848 zur Fahne des Deutschen Bundes. Der preußische Bundestagsgesandte betonte als Sprecher des politischen Ausschusses, daß die Kraft Deutschlands aus dem Bewußtsein seiner Einheit wachse und dieses Einheitsbewußtsein auch in Symbolen Ausdruck und Verbreitung finden müsse. Am 21. März verkündete Preußens König, der zögerliche, schwankende Friedrich Wilhelm IV.: «Ich habe heute die alten deutschen Farben angenommen und mich und mein Volk unter das ehrwürdige Banner der Deutschen gestellt. Preußen geht fortan in Deutschland auf.» Viele jubelten ihm zu. Aber nicht alle mochten seiner Geste Glauben schenken. Sie hatten nicht vergessen, daß der König noch in der Nacht zum 19. März gefordert hatte: «Schafft mir diese Fahne aus den Augen!»

Robert Blum, der Führer der demokratischen Linken in der Paulskirche, protestierte sogleich, daß «die deutschen Farben so von der Hand eines Gauklers beschimpft» würden: «Zum Verhüllen der Lüge und des Verrats aber sind sie nicht da: die Farben des gesamten Vaterlands.» Und Ferdinand Freiligrath inspirierte dieser Vorgang zu dem Revolutionslied: «Das ist noch lang die Freiheit nicht,/ Sein Recht als Gnade nehmen/ Von Buben, die zu Recht und Pflicht/ Aus Furcht nur sich bequemen!/ Auch nicht, daß die ihr gründlich haßt,/ Ihr dennoch auf den Thronen laßt./ Die eine

deutsche Republik,/ Die mußt du noch erfliegen!/ Mußt jeden Strick und Galgenstrick/ Dreifarbig noch besiegen!/ Das
ist der große letzte Strauß –/ Flieg aus, du deutsch Panier,
flieg aus!/ Pulver ist schwarz,/ Blut ist rot,/ Golden flackert
die Flamme!»

Zwar erklärte die Frankfurter Nationalversammlung am
31. Juli 1848 die deutsche Trikolore zur Reichsflagge. Als
aber Reichsverweser Erzherzog Johann im November diesen
Beschluß als Gesetz verkündete, hatte sich das Blatt schon
zugunsten der Gegenrevolution gewendet. Außenpolitisch
und durch die Ereignisse in Wien.

Zunächst scheiterte die blauweißrote Erhebung im Norden gegen die Einverleibung Schleswigs durch Dänemark.
Das Herzogtum hatte nie zum Reich gehört und war de
jure auch nicht Mitglied des Deutschen Bundes, allerdings
saßen die in Schleswig gewählten Abgeordneten im Paulskirchenparlament, was Schleswig de facto zum Mitglied des
Deutschen Bundes machte. Im Sog der nationalrevolutio-
nären Bewegung fühlte es sich nun mit Holstein «up ewig
ungedeelt». So rief die provisorische Regierung in Kiel
Preußen um Hilfe an, dessen Truppen – unter schwarz-rot-
goldener Kriegsfahne – nach Jütland vorrückten. Aber die
militärische Überlegenheit endete mit einer politischen
Niederlage. Durch den Druck Englands und Rußlands sahen sich Preußen und auch die Frankfurter ‹Zentralgewalt›,
das Nationalparlament, ohne Machtmittel gezwungen, den
Waffenstillstandsvertrag von Malmö zu akzeptieren und
alle weitergehenden nationalpolitischen Hoffnungen zu
begraben.

Ohnmächtig mußten die Abgeordneten der Paulskirche
auch die Nachricht hinnehmen, daß Robert Blum, trotz seiner Immunität, in Wien auf Befehl von Fürst Windischgrätz
von den Truppen der Gegenrevolution erschossen worden
war, am 9. November 1848. Er wurde zu einem Märtyrer der
Revolution. Noch war nicht abzusehen, daß sein Todestag zu

einer Art Schicksalsdatum für den Kampf um die Demokratie in Deutschland werden würde.

Nun verschwand Schwarz-Rot-Gold aus Österreich und bald auch aus Preußen. Zwar wählte das Paulskirchenparlament Friedrich Wilhelm IV. mit knapper Mehrheit zum Deutschen Kaiser. Aber der Preußenkönig lehnte die «Volkskrone» ab. Sie komme nicht von Gottes Gnaden, befand er. Am 2. September 1850 wurde der deutsche Dreifarb schließlich auch vom Dach der Paulskirche geholt. Die Restauration hatte gesiegt und die Nationalversammlung sich zwischen den beiden deutschen Großmächten, zwischen Groß- und Kleindeutschen, zwischen Erbkaiserlichen und Republikanern, aufgerieben und unter der deutschen Trikolore nicht zur nationalen Einheit finden können.

In den Kämpfen der sogenannten ‹Reichsverfassungskampagne› stemmte sich Anfang 1849 noch einmal der Widerstand gegen das Unabwendbare. Aber die Rebellion in Sachsen und im Südwesten Deutschlands formierte sich nicht mehr unter der nationalen Farbe, sondern unter der roten Fahne des radikalen sozialrevolutionären Protestes. Der Revolutionsdichter August Braß reimte: «Du Schwarz-Rot-Gold, in Nacht und Graus/ Muß sich dein Schimmer trüben./ Das Gold der Freiheit stahl man daraus,/ Das Schwarz, wir warfen es selbst hinaus./ Das Rot ist nur geblieben.»

Mit den unerfüllten Einheits- und Freiheitsforderungen war auch das nationale Farbensymbol beschädigt. Gleichwohl, man konnte diese Farben verbieten, man konnte sie durch andere ersetzen, aber sie blieben ein fester Bestandteil im kulturellen Gedächtnis der Deutschen. Bis zum Ende des Kaiserreichs wurden die Gräber der Märzgefallenen in Berlin und Frankfurt, die Gräber der Märtyrer in Rastatt, Freiburg und Dresden mit schwarz-rot-goldenen Fahnentüchern geschmückt. Auch als nationales Symbol behielt der Dreifarb seine Bedeutung. Schon 1850, auf dem Erfurter Unions-Parlament wurden die deutschen Farben wieder gezeigt, wehmü-

tig, aber nicht ohne Stolz – und sehr zum Verdruß des jungen
Abgeordneten von Bismarck. Im Schillerjahr 1859, zum
100. Geburtstag des deutschen Freiheitsdichters, tauchte die
deutsche Trikolore überall in der Öffentlichkeit wieder auf.
Auch beim Fürstentag in Frankfurt am Main 1863, an dem
nur Preußen nicht teilnahm. Daß rechtlich der Dreifarb die
offizielle deutsche Fahne blieb – der Bundesbeschluß vom
9. März 1848 wurde nie aufgehoben –, geht nicht zuletzt daraus hervor, daß die im ‹Deutschen Krieg› 1866 gegen Preußen
aufgestellten Bundestruppen schwarz-rot-goldene Armbin-
den trugen. Preußen protestierte vergeblich.

Für den Norddeutschen Bund, insbesondere für dessen
Handelsflotte, war ein neues Erkennungszeichen erforderlich. Die Entstehungsgeschichte des ersten deutschen Flag-
genwechsels wird in verschiedenen Versionen erzählt. Entgegen einer landläufigen Meinung ist nicht Bismarck der
Erfinder der schwarz-weiß-roten Trikolore gewesen. Dem
preußischen Ministerpräsidenten und nachmaligen Reichskanzler war das «Farbenspiel ganz einerlei», die schwarz-rot-
goldenen Farben aber ganz unannehmbar. Sie weckten in ihm
bittere Erinnerungen an die Berliner Märztage und den Feld-
zug von 1866. Die Idee geht sehr wahrscheinlich auf eine Anregung des Hamburger Kaufmanns Adolf Soetbeer zurück,
der im September 1866 im Bremer Handelsblatt vorschlug,
das hanseatische Rot-Weiß mit dem preußischen Schwarz-
Weiß zu kombinieren. Immerhin verfügten die Hanseaten
und Holsteiner über die nach Preußen größte Zahl von Schif-
fen. Durch Bismarcks Berater hat dieser Vorschlag dann mut-
maßlich Eingang in den Verfassungsentwurf von 1866 gefunden, mochte Bismarck auch selbst später betonen, daß die
ebenfalls rot-weißen kurbrandenburgischen Farben die maßgebliche Anregung gewesen seien. Wie auch immer. Die
schwarz-weiß-roten Farben waren das Erkennungszeichen
der Handelsschiffe des Norddeutschen Bundes, und sie wurden ins linke Obereck der Kriegsmarineflagge aufgenommen,

die auf weißem Grund das schwarz-weiß geränderte Kreuz mit dem preußischen Adler in der Mitte zeigt. Ein nationales Symbol waren diese Farben anfangs nicht. Der Bedeutungswandel begann mit dem Deutsch-Französischen Krieg von 1870/71, aber die Trikolore der 48er Revolution blieb noch lange das Sinnbild deutscher Einheit, vor allem in Süddeutschland und am Rhein.

Selbst im Norddeutschen Reichstag war der Flaggenwechsel umstritten. Als die Verfassung im April 1867 beraten wurde, erklärte der Abgeordnete und Zeitungsverleger Franz Duncker, daß seit den Freiheitskriegen «im Bewußtsein des deutschen Volkes schwarz-rot-gold die Farben desselben seien», Ausdruck für den Wunsch nach Einheit und Freiheit des gesamten Vaterlandes. Der Besitzer der *Berliner Volkszeitung* soll bei vielen Gelegenheiten an seinem Zeitungshaus demonstrativ den deutschen Dreifarb gezeigt haben. Er verzichtete gleichwohl darauf, im Reichstag dessen Einführung zu beantragen, weil er verhindern wollte, «daß eine deutsche Volksvertretung die deutschen Farben etwa abvotirt».

Am vormärzlichen Schwarz-Rot-Gold hielt aber auch beispielsweise die Deutsche Turnerschaft fest. Gesamtdeutsch in ihrer nationalstaatlichen Vorstellung, war sie doch nicht politisch oppositionell eingestellt, mochte sie auch weiter Jahns Lied vom deutschen Turner singen: «Solang ein Tropfen Blut noch in den Adern rollt,/ Schwärmt er für Freiheit, Recht und Schwarzrotgold». Noch irritierender wird das Farbenspiel, wenn man bedenkt, daß auch die antisemitisch-christlichsoziale deutsch-nationale Bewegung Georg Schönerers in Österreich den deutschen Dreifarb in Anspruch nahm – für sie das Symbol der erhofften Vereinigung aller Deutschen zu einem Großdeutschland. Ein ganz anderes Deutschland war gemeint, als sich 1899 die Frankfurter Altstadt mit den Farben der vormärzlichen Trikolore schmückte – zu Goethes 150. Geburtstag.

Während sich die neue, schwarz-weiß-rote Reichsfahne

besonders in Bayern und den südwestdeutschen Ländern nur allmählich durchsetzte, bekam sie – von zahlreichen national-politischen Vereinen der Zeit in Anspruch genommen – mehr und mehr einen imperialistischen Charakter. Der antidemokratische und antisemitische Verein Deutscher Studenten, der Alldeutsche Verband, der Verein für das Deutschtum im Ausland und der Flottenverein, sie alle trugen die neuen reichsdeutschen Farben. So wurde die Fahne des Zweiten Deutschen Reiches auch das Symbol der Welt- und Kolonialpolitik, des Flottenbaus, des Rassengedankens und der Bekämpfung der Arbeiterbewegung, deren Farben Rot bzw. Schwarz-Rot-Gold blieben.

Erst der Beginn des Weltkrieges brachte für Schwarz-Weiß-Rot einen allgemeinen Popularitätszuwachs. Schon bald aber wurde sie zum Sinnbild für Annexion, Selbstherrlichkeit der militärischen Führung und Irreführung der Öffentlichkeit. Schließlich sah man in ihr das Symbol für das Versagen der militärischen und politischen Reichsleitung. Das Ende des Kaiserreichs war gleichwohl nicht das Ende von Schwarz-Weiß-Rot.

Ein abermaliger Flaggenwechsel wurde notwendig, weil zu Beginn der Revolution 1918 von den öffentlichen Gebäuden der Reichshauptstadt die rote Fahne wehte. Deutschland stand vor der Alternative, entweder eine demokratisch-freiheitliche, soziale Republik oder eine sozialistische Diktatur zu werden. Nur im Zeichen der 48er Fahne konnte es jedoch gelingen, die Wahl einer verfassunggebenden Nationalversammlung durchzusetzen und einen Bürgerkrieg zu vermeiden. Selbst die *Deutsche Zeitung* und die *Alldeutschen Blätter*, die ein nichtdemokratisches Bürgertum repräsentierten, machten sich für die Farben der Republik stark.

Aber der Flaggenwechsel wurde nicht eindeutig, sondern in einem folgenschweren Kompromiß vollzogen. Ein Kompromiß, der symbolisch den Riß durch die Republik markierte, an dem sie sich aufreiben und schließlich auseinanderbrechen sollte. Der Verfassungsausschuß hatte als Reichsfarben Schwarz-Rot-Gold vorgeschlagen und wollte die Bestimmung der Handelsflagge einem späteren Reichsgesetz vorbehalten. Das war ein politisch kluger Vorschlag. Aber die Rechte, DVP und DNVP, verlangten, die Farben des Kaiserreichs beizubehalten (das Deutsche Reich von 1871 bestand ja fort). Die USPD wollte die rote Revolutionsfahne zur Reichsflagge machen. Die liberale DDP war in dieser Frage gespalten. So kam es zum Kompromißvorschlag, den MSPD- und Zentrumsabgeordnete einbrachten. Danach sollten die neuen, republikanischen Reichsfarben Schwarz-Rot-Gold sein, die Handelsflagge Schwarz-Weiß-Rot mit den schwarz-rotgoldenen Farben in der oberen inneren Ecke.

Als ginge es um eine Art Generalabstimmung über die neue politische Ordnung, wurde über alle Anträge einzeln abgestimmt. Für Schwarz-Weiß-Rot als Reichsfarben stimmten immerhin 110 Abgeordnete, dagegen 191. Den Kompromiß befürworteten 213 Reichstagsmitglieder, 90 lehnten ihn ab. So zeigte sich einmal mehr: Das Bekenntnis zur Demokratie, das Schwarz-Rot-Gold versinnbildlichte, befand sich wieder nicht «auf der Höhe des deutschen Gedankens», wie Heine das seinerzeit gefordert hatte. Ausgerechnet auf See wehte wieder die Fahne des autoritären Staates und seiner imperialen Ansprüche. Ausgerechnet dort, wo die Matrosen im revolutionären Aufbegehren die Flagge der verhaßten Monarchie niedergeholt hatten, wurde sie nun wieder gehißt. Im Ausland sprach man von den zwei deutschen Nationen. Innenpolitisch erwies sich das doppelte Nationalsymbol als fatal.

Die Ermordung von Außenminister Walther Rathenau am 24. Juni 1922 brachte eine neue, schwere Belastung für die Weimarer Republik. Otto Wels, der SPD-Vorsitzende, verlangte im Reichstag durchgreifende Maßnahmen zu ihrem Schutz, auch visuell: «Verschwinden müssen die Symbole der alten Monarchie! Wir Sozialdemokraten sahen und sehen in der roten Fahne das Symbol unseres Kampfes für Völkerversöhnung und Völkerverständigung, und wir sehen in der schwarz-rot-goldenen Fahne der Republik das Bekenntnis zur Demokratie und zum friedlichen Aufbau. Millionen, die heute sich zu uns, zu unseren Farben bekennen, folgten einst den schwarz-weiß-roten Fahnen aus innerer Überzeugung, bis die Leiden unseres Volkes und die Verbrechen des alten Regimes sie zur Abkehr zwangen. Heute ist für sie alle diese schwarz-weiß-rote Fahne zur Mörderfahne geworden!» Das war gegen Rathenaus Intimfeind und politischen Konkurrenten Karl Helfferich und die nationalistische Rechte überhaupt gerichtet, aus deren Reihen die Rathenau-Mörder kamen. In ihrem Schlagetot-Vokabular hatten sie wochenlang gegen den Außenminister gehetzt: «Knallt ab den Walther Rathenau, die gottverfluchte Judensau!» Wels forderte ein Verbot der ‹Mörderfahne›, was verfassungsrechtlich allerdings ohne Aussicht auf Erfolg war.

Die Beisetzungsfeierlichkeiten für Rathenau gerieten zu einer schwarz-rot-goldenen Demonstration für die Republik. In Berlin gingen etwa eine Million Menschen auf die Straße, Hunderttausende waren es in München, Hamburg, Essen, Breslau und Chemnitz. Die Textilindustrie kam mit den Großaufträgen in Schwierigkeiten – soviel Nachfrage nach schwarz-rot-goldenem Fahnentuch hatte es zuvor noch nicht gegeben. Über den Gräbern der Großen der Republik wurde die drohende Gefahr für den Bestand des Gemeinwesens offenbar und zugleich die verzweifelte Hoffnung spürbar, die Selbstzerstörung der Republik doch noch abwenden und nationale Solidarität herstellen zu können – über alle ideologischen und Klassengegensätze hinweg. Aber der versöhnliche Schein war trügerisch.

An den Farben schieden sich die politischen Parteien. Das wurde unübersehbar deutlich während des Reichspräsidentenwahlkampfes 1925. Sachfragen spielten kaum eine Rolle. Es ging um die politische Verfassung selbst: Republik oder

Monarchie. Das Lager der Republikanhänger, SPD, Zentrum, DDP, formierte sich zum ‹Volksblock Schwarz-Rot-Gold›, dem der ‹Reichsblock Schwarz-Weiß-Rot› unversöhnlich gegenüberstand. Hindenburg wäre in dieser ‹Schicksalswahl› zu verhindern gewesen, hätte der politische Katholizismus geschlossen für den Zentrums-Kandidaten Wilhelm Marx gestimmt. Er galt im republikfreundlichen Volksblock als aussichtsreicherer Bewerber um das Präsidentenamt und war deshalb statt des preußischen Ministerpräsidenten Otto Braun ins Rennen geschickt worden. Aber die bayerischen Katholiken (BVP) wählten den greisen Generalfeldmarschall und Repräsentanten der alten Ordnung.

Mit seiner Flaggenverordnung, die im Reichstag zu einem Sturm der Entrüstung und zum Rücktritt des Kabinetts von Reichskanzler Hans Luther führte, wurden Reichs- und Republikfahne formal gleichgestellt. Das bedeutete eine symbolische Aufwertung der alten Ordnung. Seit der September-Wahl von 1930 und dem Erdrutsch-Erfolg der Hitler-Partei nahm der öffentliche Druck gegen die schwarz-rot-goldene Nationalflagge weiter zu. Die Nazis verunglimpften sie, wo sie konnten, als ‹Judenfahne›. Den letzten Schritt, den symbolischen Todesstoß gegen die Republik, vollzog Hindenburg selbst. Er brach die Verfassung, als er am 12. März 1933, zwölf Tage vor Annahme des Ermächtigungsgesetzes, Art. 3 der Weimarer Verfassung außer Kraft setzte und erklärte, daß «vom morgigen Tage an bis zur endgültigen Regelung der Reichsfarben die schwarz-weiß-rote Fahne und die Hakenkreuzfahne* gemeinsam zu hissen sind».

Nach Hindenburgs Tod erließ Hitler ein neues Reichsflaggengengesetz, mit dem er die Hakenkreuzfahne zur alleinigen Reichs- und Nationalfahne machte. Mochte sie auch in ihren Farben an die des Wilhelminischen Kaiserreichs erinnern, Hitler unterlegte der einstigen Parteifahne sein politisches Programm: Rot stand für den sozialen, weiß für den nationalistischen Gedanken. Im schwarzen Hakenkreuz aber sah er

«die Mission des Kampfes für den Sieg des arischen Menschen und zugleich mit ihm auch den Sieg des Gedankens
der schaffenden Arbeit, die selbst ewig antisemitisch war
und antisemitisch sein wird.» Diese Fahne, Symbol einer
vorgeblich neuen Zeit, sollte nach Hitlers Willen wie eine
Brandfackel unübersehbar sein, gemeinschaftsbildend nach
innen, abgrenzend und aggressiv nach außen. Ein exzessiver
Flaggengebrauch begann: Standarten und Banner, Fähnlein
und Wimpel überschwemmten das Land, Fahneneide, Fah-
nenweihen und Flaggenparaden sollten die propagierte
‹Volksgemeinschaft› mental festigen. Ihr eigentlicher Zweck
aber war die Formierung der Massen zum Kampf: «Wissen
wir auch nicht, wohin es geht, wenn nur die Fahne vor uns
weht!» hieß es in einem vielgesungenen Lied der Zeit. Und
in einem nicht weniger populären Kampflied wurde unum-
wunden gesagt, worum es letztlich ging, um die Bereitschaft
zu töten und zu sterben: «Vor uns marschieren mit sturm-
zerfetzten Fahnen/ die toten Helden der Nation,/ und über
uns die Heldenahnen./ Deutschland, Vaterland, wir kommen
schon!»

Als das Vaterland und halb Europa verwüstet, Deutschland geschlagen war und die bedingungslose Kapitulation im
Mai 1945 unterzeichnet hatte, gab es zunächst keine deutsche Flagge mehr. Auf den Fahnenrausch der Nazis folgte ein
Fahnenkater. Aber schon bald beschäftigte diese Frage die
verfassunggebenden Institutionen in beiden Teilen Deutschlands.

Volkskongreß und Volksrat der späteren DDR erwogen
Rot, Schwarz-Rot-Gold – und auch Schwarz-Weiß-Rot, die
Farbe des 1943 in der Sowjetunion gegründeten Nationalkomitees Freies Deutschland. Schließlich entschied man sich
für die Weimarer Farben. Im Westen kam es zum Streit.
Zwar hatte sich der Verfassungskonvent auf die Republikfahne geeinigt, aber im Parlamentarischen Rat trafen unterschiedliche Staatsverständnisse und Vorstellungen der visu-

ellen Staatsrepräsentation aufeinander, ein sozial- und ein christdemokratisches. Für die SPD kamen selbstverständlich nur die Paulskirchen- und Weimarer Republikfarben als Symbol der deutschen Freiheits- und Einheitsbewegung in Frage. Die CDU/CSU plädierte für eine neue Flagge: Auf rotem Grund sollte ein schwarzes Kreuz liegen und – auf dieses aufgelegt – ein goldenes. Der Entwurf stammte von Josef Wirmer, der zum Widerstand um Carl Goerdeler gehört hatte. Für Theodor Heuss war das bloß «graphisches Kunstgewerbe» und eine «Verkünstelung». Der Flaggenstreit spiegelte die öffentliche Meinung wider: In einer Umfrage votierten jeweils 25 Prozent für die alte Reichs- und die Republikfahne, während 35 Prozent keine Meinung hatten oder äußern mochten. Schließlich wurden der CDU-Antrag abgelehnt und die schwarz-rot-goldenen Farben mit großer Mehrheit angenommen.

Der Streit war damit noch nicht ausgestanden. Deutsche Partei und Freie Demokraten nahmen Anstoß daran, daß die bundesrepublikanische Flagge auch das Symbol des «totalitären volksdemokratischen Systems» war. In ihren Wahlkämpfen hielten beide Parteien anfangs an der Reichsfahne fest. Das Problem der Abgrenzung und nationalen Identitätsbestimmung hatte natürlich auch die DDR. 1950 führte sie deshalb das Emblem ‹Hammer* mit Ährenkranz› ein – symbolischer Ausdruck für den ‹Arbeiter- und Bauernstaat›, 1953 fügte man als Sinnbild für die technische Intelligenz den Zirkel hinzu, 1955 wurde dieses Emblem dann offizielles Staatswappen. Seit 1959 ziert es die Staatsflagge der DDR.

Ein sensibles Terrain für den innerdeutschen Flaggenstreit waren vor allem die Olympischen Spiele. An ihnen nahmen seit 1956 Sportler beider deutscher Staaten in einer deutschen Mannschaft teil – gemeinsam unter Schwarz-Rot-Gold. Am Vorabend der Olympischen Spiele 1960 in Rom verlangte das NOK der DDR, daß die ostdeutschen Sportler unter der neuen DDR-Fahne antreten sollten. Es

Ein junges Paar aus der ehemaligen DDR feiert die Einheit. Es hat das DDR-Emblem «Ährenkranz, Hammer und Zirkel», das seit 1959 die Trennung der Nation auch symbolhaft bekräftigen soll, aus dem Rot der Fahne herausgetrennt – auch ein Symbol

kam zum Eklat, und IOC-Präsident Avery Brundage ordnete an, daß die gesamtdeutsche Mannschaft unter dem Emblem Schwarz-Rot-Gold mit den olympischen Ringen antreten sollte. Bei den Olympischen Spielen 1964 wurde es letztmalig getragen. Ein Jahr später kam das Ende für die gesamtdeutsche Mannschaft.

Dieser Streit darf allerdings nicht darüber hinwegtäuschen, daß dem exzessiven Fahnenkult der Nazis eine allgemeine Fahnenmüdigkeit gefolgt war. Anfang der fünfziger Jahre bejahte weniger als die Hälfte der befragten Bundesbürger das Flaggen auf öffentlichen Gebäuden an nationalen Feier- bzw. Gedenktagen. Ein Drittel hielt es für nicht opportun. In seiner Rede zur Feierstunde am 17. Juni 1962 erinnerte sich der Hamburger Theologe Helmut Thielicke daran, daß in der älteren Generation eine allgemeine Reserve gegenüber der Fahne bestehe, weil die Nazis mit ihr «Schindluder» getrieben hätten. Aber auch, weil die Farben Schwarz-Rot-Gold «immer wieder an Tief- und Katastrophenpunkten» der deutschen Geschichte aufgetaucht seien – 1918 und 1945, also nach den verlorenen Weltkriegen, was möglicherweise zu unbewußten Abwehrreaktionen geführt habe. Als aber am 17. Juni 1953 ostdeutsche Arbeiter mit dieser Fahne als «Fanal der Freiheit» durch das Brandenburger Tor gezogen waren, sei sie erneut zum Symbol für Freiheitssehnsucht und Freiheitswillen geworden, zum Bekenntnis «wider die Tyrannei und eine Verheißung für den ersehnten Tag, an dem die Mauer fallen und wir wieder in einem Volk vereinigt sind».

Es sollten allerdings noch Jahrzehnte vergehen, bis die Mauer fiel. Die Große Koalition, Vorbereiterin der neuen Deutschland- und Ostpolitik der nachfolgenden sozialliberalen Koalition unter Willy Brandt und Walter Scheel, beschloß erst einmal, die ‹Spalterflagge› zu tolerieren – schon im Sinne der späteren Politik des ‹Wandels durch Annäherung›. In der ‹Einheitsnacht› 1989 schnitten Bürger der DDR das verhaßte Staatsemblem aus der deutschen Trikolore – und die geöffnete Mauer vor dem Brandenburger Tor versank unter einem Meer von schwarz-rot-goldenen Fahnen. Ein ephemeres Denkmal, das an die bewegten Tage der vormärzlichen Nationalbewegung erinnern konnte.

DEUTSCHLANDLIED UND DDR-HYMNE

Böse Menschen haben keine Lieder

Wer von der Entstehung und wechselvollen Geschichte des Deutschlandliedes redet, muß mit der Marseillaise beginnen. Sie war das bekannteste und beliebteste politische Lied des 19. Jahrhunderts. Schon 1792 wurde sie in Polen übersetzt und schnell bekannt. In den 1820er Jahren beflügelte sie die Griechen in ihrem von der ganzen Welt bewunderten Unabhängigkeitskampf gegen die Türken. 1905 mobilisierte sie die Revolutionäre im Zarenreich. Und als die Spanier Anfang 1931 ihren König ins Exil vertrieben und die Republik ausriefen, erklang die Marseillaise in den Straßen von Madrid. Schon in den 1840er Jahren hatte Friedrich Engels geschrieben, daß die Marseillaise «über die Nationalität zur Menschheit greife».

Größte Popularität erreichte das linksrheinisch entstandene patriotische Kampflied, das der französische Offizier Rouget de Lisle als *Chant de guerre de l'Armée du Rhin* 1792 für den Kampf der Franzosen gegen die österreichisch-preußische Koalition geschrieben hatte, rechtsrheinisch. Deutsche Soldaten mochten im Kampf gegen Napoleon auf das aggressive Freiheitspathos so wenig verzichten wie später die deutsche Arbeiterbewegung. Bekannt wurde die Marseillaise bereits, als die Armee des Generals Custine Mainz erobert hatte und sich die deutschen Jakobiner um Georg Forster darum bemühten, eine «rheinisch-deutsche Republik» zu errichten. Forster begeisterte sich für den «heiligen Enthusiasmus» der mitreißenden Melodie. So fühlten viele. Ludwig Börne bekannte, daß er die Melodie seit frühen Kindertagen im Herzen trage. Und Heinrich Heine schrieb während der Julirevolution 1830 aus Paris: «Welch ein Lied! Es durchschauert mich mit Feuer und Freude (...) Ich kann nicht weiterschreiben, denn die Musik unter meinem Fenster berauscht mir den Kopf, und immer gewaltiger greift herauf der Refrain: ‹Aux armes, citoyens!›» Die Marseillaise wurde auf dem Hambacher Fest gesungen und in vielen deutschen Städten während der beiden «tollen Jahre» der 48er Revolution. Und als die ‹Verfassungskampagne› im Frühjahr 1849 in letzten, verzweifelten Kämpfen zu retten versuchte, was schon verloren war, schrieb Ferdinand Freiligrath, unermüdlicher politischer Poet, einen letzten Erweckungsruf: «Frisch auf zur Weise von Marseille/ Frisch auf ein Lied mit hellem Ton!/ Singt es hinaus als die Revaille/ Der neuen Revolution!» Vergeblich.

Das Vermächtnis der Märzrevolution übernahm die sich formierende Arbeiterbewegung. Als im Sommer 1864 Ferdinand Lassalle, der im Duell getötete Mitbegründer der deutschen Arbeiterbewegung, zu Grabe getragen wurde, schrieb ein junger Hamburger Schlosser und Schriftsteller, Jakob Audorf, für die Trauerfeierlichkeiten einen Text, der als ‹Arbeitermarseillaise› die Melodie zur Hymne des anderen, des demokratisch-oppositionellen Deutschlands machen sollte: «Wohlan, wer Recht und Wahrheit achtet,/ Zu unsrer Fahne steht zu Hauf:/ Wenn auch die Lüg' uns noch umnachtet,/ Bald steigt der Morgen hell herauf!» Dazu der Refrain: «Nicht zählen wir den Feind,/ Nicht die Gefahren all'/ Der Bahn, der kühnen, folgen wir,/ Die uns geführt Lassall'.» Weiter heißt es in der zweiten Strophe: «Der Feind, den wir am tiefsten hassen/ Der uns umlagert schwarz und dicht,/ Das ist der Unverstand der Massen,/ Den nur des Geistes Schwert durchbricht.» Und schließlich: «Das freie Wahlrecht ist das Zeichen,/ In dem wir siegen, nun wohlan!/ Nicht predigen wir Haß den Reichen,/ Nur gleiches Recht für Jedermann ...» Kein revolutionäres, sondern ein eher reformpolitisches Kampflied, das nicht zum gewaltsamen Umsturz aufruft, sondern Rechtsstaatlichkeit, allgemeines Wahlrecht

und Bildung fordert. Vielleicht erklärt dies seine Langlebig-
keit. Es blieb jedenfalls ein fester Bestandteil im Liedpro-
gramm sozialdemokratischer Parteitage bis in die Nach-
kriegsjahre.

Zwischen der Marseillaise und dem Deutschlandlied gibt
es nun allerdings auch einen ganz unmittelbaren Bezug. Als
die napoleonische Armee 1797 unter der vorwärtsdrängen-
den Melodie gegen Wien vorrückte und die Habsburger
Monarchie in Bedrängnis geriet, wurde ein hymnisches Ge-
gengewicht gesucht. Es sollte die Abwehrbereitschaft der
Untertanen des Vielvölkerstaates stärken und sie emotional
enger an den Monarchen binden. So entstand das vierstro-
phige patriotische Lied «Gott erhalte Franz den Kaiser, unsern guten Kaiser Franz», das Joseph Haydn nach seiner
«Lieblingsweise» vertonte, der festlich-erhebenden G-Dur
Melodie aus seinem berühmten *Kaiser-Quartett*.

Daß sie Jahre später auch als Melodie für das *Lied der
Deutschen* gewählt wurde, verdanken wir dem Literaturpro-
fessor und Lieddichter August Heinrich Hoffmann, der sich
selbstironisch und mit antiaristokratischem Spott nach seinem Geburtsort «Hoffmann von Fallersleben» nannte. Er
schrieb so populäre Volkslieder wie *Winter ade, Scheiden tut
weh, Alle Vögel sind schon da* oder *Kuckuck, Kuckuck ruft's
aus dem Wald*. Hoffmann war allerdings ein durchaus politischer Mensch. Wiederholt trafen ihn Berufsverbot und Zensur. Mit der Vormärzbewegung teilte er den Wunsch nach
Liberalisierung der politischen Verhältnisse und nach nationaler Einigung Deutschlands. Für sein *Lied der Deutschen*
wählte er Haydns Melodie wegen ihrer Schönheit und Popularität, aber wohl auch, weil er sich eine nationale Einigung
mit Österreich wünschte, wie viele seiner Zeitgenossen
auch. Das Lied schrieb er, Erholung auf der damals britischen
Nordseeinsel Helgoland suchend, im August 1841. Er stand
ganz unter dem Eindruck der Aufhebung der Hannoveraner
Verfassung von 1833 durch König Ernst August und war mit

gleichgesinnten Landsleuten entschlossen zum Kampf gegen die oktroyierte Verfassung von 1840. Man diskutierte über ‹Pressfreiheit› und Deutschlands Einigung.

Heinrich Julius Campe, Hoffmanns Hamburger Verleger, der auch die Schriften Heines und anderer vormärzlicher Dichter herausgab, sorgte sogleich für die Verbreitung des Liedes. Schon Anfang Oktober desselben Jahres erlebte es seine öffentliche Uraufführung. Hoffmann war anwesend, als die *Hamburger Liedertafel von 1832* dem in der Hansestadt weilenden liberalen badischen Staatsrechtsprofessor Karl Theodor Welcker zu Ehren vor dem Streit's Hotel auf dem Jungfernstieg das *Lied der Deutschen* sang, unter Fackelschein und enthusiastischer Beteiligung einer großen Menschenmenge.

Ein Revolutionslied der 48er Bewegung wurde es gleichwohl nicht. Dazu war es nicht radikal, nicht kämpferisch genug. Auch als Nationalhymne drängte es sich nicht auf. Dazu wurde es erst durch seine politische Nutzungsgeschichte. Hoffmanns Lied ist ein Lied der unerfüllten Sehnsucht. «Deutschland über alles» gibt dem Einheitsverlangen Ausdruck, der Hoffnung auf Überwindung der Kleinstaaterei und inneren Zerrissenheit zugunsten einer gesamtdeutschen Nation, in den Grenzen des damaligen deutschen Sprachraums. Und es ist ein oppositionelles Lied, wenn auch kein antimonarchisches. Die Haydn-Melodie macht es zu einer königsfreundlichen Hymne, einer Hymne freilich, die Partei ergreift für die liberal-konstitutionelle Bewegung der Paulskirche, in die Hoffmann wie viele seiner Kollegen große Hoffnungen setzte. Eine Wahl in die Nationalversammlung lehnte er allerdings ab.

Das Kaiserreich hielt bei offiziellen Anlässen zunächst an der preußischen Königshymne *Heil dir im Siegerkranz* fest. Als eine Art inoffizielle Nationalhymne diente die *Wacht am Rhein*. Beliebt als nationale Lieder waren auch Landeshymnen wie *Schleswig-Holstein meerumschlungen* und *Gott mit dir, du Land der Bayern.* Die Kaiserhymne ist durch das Deutschlandlied nach und nach abgelöst worden. Es wurde beispielsweise 1890 bei der Übergabe Helgolands gesungen und 1901 bei der Einweihung des Bismarckdenkmals vor dem Reichstag. Am Vorabend des Ersten Weltkrieges gehörte es mit Ludwig Uhlands *Lied vom guten Kameraden* bereits zu den populärsten politischen Liedern. Seine bis heute nachwirkende nationalistisch-aggressive Umdeutung erhielt es im Ersten Weltkrieg. Das schnell legendär überhöhte Kampf- und Opferereignis von Langemarck steht insofern am Anfang seiner Karriere als Nationalhymne. Im November 1914 meldete der Gefechtsbericht der Obersten Heeresleitung, daß junge Regimenter, mit *Deutschland, Deutschland über alles* auf den Lippen, gegen die feindlichen Stellungen angerannt seien und sie genommen hätten. Das hochwillkommene heroische Bild von den opferbereiten «singenden Helden» war geschaffen.

Trotz dieser Vorbelastung waren führende Weimarer Politiker schon in der schwierigen Gründungsphase der Republik entschlossen, das Deutschlandlied zur Nationalhymne zu machen. So bekannte sich der Zentrumspolitiker und Präsident der Nationalversammlung, Konstantin Fehrenbach, im Mai 1919 ausdrücklich zu «unserem vaterländischen Hymnus», um sich zugleich energisch von dessen chauvinistischem Mißbrauch zu distanzieren. Ein Jahr später veröffentlichte der Reichsinnenminister Erich Koch (DDP), wenige Wochen nach dem Scheitern des Kapp-Putsches, eine Denkschrift, die erhebliche Vorbehalte gegen den Text zum Ausdruck brachte, in der es aber gleichwohl hieß: «Die Zeit nach der Revolution hat kein Lied mit natürlicher Kraft emporgetragen (...) Ein Text, der auf allen Seiten des Volkes Billigung finden würde, ist in diesem Augenblick, wo fast alle Worte von der einen oder anderen Seite als Schlagworte mißbraucht oder mißdeutet sind, in großer Form nicht zu erwarten. ... Entscheidend ins Gewicht fällt die Gefahr, daß jede andere Lösung als die Wahl des Deutschlandliedes dazu führen würde, dieses Lied als Protestlied gegen die Neuordnung erst recht zu stärken. Der Konflikt, der sich bei der Schaffung der schwarz-rot-goldenen Fahne ergeben hat, würde sich in verschärfter Form wiederholen.» Auch Scheidemann und der spätere SPD-Innenminister Wilhelm Sollmann setzten sich für das Deutschlandlied ein. Unter stürmischem Beifall erklärte dieser im August 1920 vor der Reichsvertretung der sozialistischen Arbeiterjugend im Weimarer Nationaltheater: «Uns schwebt ein wirklich neues Deutschland vor: ein Reich und ein Volk, in dessen Politik und Wirtschaft der Geist seiner Größten und Edelsten gilt. Diesem laßt uns zustreben, dem Deutschland der Kant und Fichte, Marx und Engels, Hegel und Heine, Goethe und Hebbel, Beethoven und Mozart, Schiller, Lassalle und Freiligrath. Dieses Deutschland dürfen und werden wir in Zukunft fordern, und dieses Deutschland geht uns dann ‹über alles in der Welt›.» Der *Vorwärts* und manch führendes Mitglied der SPD-Linken äußerten gleichwohl Bedenken, hielten das Deutschlandlied für «unheilbar kompromittiert» und hörten Mißtöne in der Haydn-Melodie – «ein Geräusch wie von Leutnantsgeplärr und Kaisergeburtstagsrummel».

Nach dem Rathenaumord am 24. Juni 1922 waren sich die republiktreuen Kräfte ihrer Verantwortung und der Dringlichkeit sehr bewußt, nun auch symbolpolitisch entschieden zu handeln. Wann, wenn nicht jetzt sollte das Deutschlandlied Nationalhymne werden? Den Anlaß dazu bot der bevorstehende dritte Verfassungstag. Nachdem die Fraktionen zugestimmt hatten, ließ Ebert einen Aufruf veröffentlichen, der in allen großen deutschen Tageszeitungen erschien: «Einigkeit und Recht und Freiheit! Dieser Dreiklang aus dem Liede des Dichters gab in Zeiten innerer Zersplitterung und Unterdrückung der Sehnsucht aller Deutschen Ausdruck (…) Sein Lied, gesungen gegen Zwietracht und Willkür, soll nicht Mißbrauch finden im Parteikampf, es soll nicht der

Kampfgesang derer werden, gegen die es gerichtet war; es
soll auch nicht dienen als Ausdruck nationalistischer Über-
hebung (...) In Erfüllung seiner Sehnsucht soll unter den
schwarz-rot-goldenen Fahnen der Sang von Einigkeit und
Recht und Freiheit der festliche Ausdruck unserer vaterländischen Gefühle sein (...) Der feste Glaube an Deutschlands
Rettung und die Rettung der Welt soll uns nicht verlassen.»
Es war allerdings unklar, ob der Reichspräsident dazu überhaupt befugt war. Einen Hymnen-Artikel kannte die Verfassung nicht. Aber als Oberbefehlshaber der Reichswehr ordnete er an: «Die Reichswehr hat das Deutschland-Lied als
Nationalhymne zu führen.»

Mit der präsidialen Proklamation schien die republikanische Deutung gegen chauvinistische Umdeutung erneuert
und gleichsam staatsoffiziell festgeschrieben. Am Verfassungstag war im Reichstag an der Stirnseite des Plenarsaals
«Einigkeit und Recht und Freiheit» zu lesen, sangen die Abgeordneten die dritte Strophe, die auch bei der abendlichen
Feier auf dem Gendarmenmarkt gesungen wurde – zusammen mit der «Internationalen». Die Resonanz auf Eberts
Entscheidung war parteiübergreifend positiv. Sie reichte von
der SPD-Linken* bis in die Reihen der Konservativen.
Reichsjustizminister Gustav Radbruch nannte Eberts Entscheidung einen «Akt der Herzensweisheit». Und Stresemann schrieb später: «Schätzen wir diese Symbolik nicht ge-
ring! Wir flaggen vielfach gegeneinander. Wie traurig, wenn
wir noch gegeneinander sängen! So haben wir wenigstens
ein Nationallied, das alle Deutschen eint und das Symbol
unseres Sechzig-Millionen-Volkes ist.» Die Hoffnung trog.

Eberts Appell verhallte zwischen den Frontlinien des inneren Belagerungszustands, in dem sich die Republik von
Anfang an befand. Sie blieb auch in ihrer symbolischen Politik glücklos. Die Monarchisten favorisierten weiterhin die
Kaiserhymne *Heil dir im Siegerkranz*. Die Linke sang lieber
die *Internationale* und das Arbeiterkampflied *Wann wir*

schreiten Seit an Seit. Auch dem Ausland war das Deutschlandlied als einstige Siegesfanfare suspekt. Es mißtraute der
hymnischen Sehnsucht nach Frieden und Freiheit, sofern sie
aus den Kehlen der eben Besiegten erklang. Die Franzosen
verwehrten den Deutschen, das Lied im besetzten Rheinland
zu singen – wegen seiner mißverständlichen und so oft miß-
brauchten ersten Strophe. Auch die englische Übersetzung
«Deutschland, Deutschland, first of nations …» machte aus
der Einheits- und Freiheitshoffnung des Hoffmannschen
Konditionalsatzes – wenn sich Deutschland in Recht und
Freiheit brüderlich vereinen würde, dann wäre das schöner
als alles andere in der Welt – einen imperialistischen Kampfgesang.

Daß die Nationalsozialisten das Deutschlandlied nicht –
wie andere politische Symbole der verhaßten Weimarer
‹Systemzeit› und der 1848er Tradition – beseitigten, erklärt
sich wesentlich aus diesem Umstand. Die vormärzliche
Hymne konnte eben auch im Sinne der völkisch-nationali-
stischen Ideologie in Anspruch genommen werden. Um jeden Zweifel auszuschließen, wurde die erste Strophe des
Hoffmann-Haydn-Lieds mit dem Horst-Wessel-Lied zusammen gesungen: «Die Fahne hoch! Die Reihen dicht geschlossen! S. A. marschiert mit ruhig festem Schritt. Kameraden, die Rotfront und Reaktion erschossen, marschier'n im
Geist in unsern Reihen mit.»

Am Ende, als Hitler-Deutschland fast ganz Europa besetzt
und sich weit über die ursprünglich als Sprachgrenze ver-
standenen geographischen Markierungen Maas und Memel,
Etsch und Belt ausgedehnt hatte, sangen Wehrmachtssoldaten im sogenannten *Panzerjägerlied* die Verse «Von der
Maas bis an die Memel, von der Etsch bis an den Belt, stehen
deutscher Männer Söhne gegen eine ganze Welt».

Nachdem der Weltkrieg halb Europa in Schutt und Asche
gelegt hatte, mehr als 55 Millionen Tote zu beklagen waren
und Deutschland zerstört und besiegt war, da schien es auch

mit der hymnischen Herrlichkeit endgültig vorbei zu sein. Die Alliierten verboten jedenfalls das Singen und Spielen des Deutschlandliedes, das für sie verständlicherweise durch die erste Strophe nur noch ein nationalsozialistisches Kampflied war.

Andererseits mehrten sich bald die Stimmen, die auf das legitime Bedürfnis jeder staatlich verfaßten Nation verwiesen, seinen politischen Grundwerten «in feierlichem Gemeinschaftsgesang Ausdruck zu geben». Der Parlamentarische Rat mochte sich mit der heiklen Frage nicht befassen. Eine Reihe nationalkonservativer Abgeordneter fand im Bundestag keine Mehrheit mit dem Antrag, das Deutschlandlied in seiner ursprünglichen Form wieder einzuführen. Der Nordwestdeutsche Rundfunk, bemüht, sich politisch korrekt zu verhalten, beschloß sein tägliches Programm mit dem thüringischen Lied «Ich hab mich ergeben mit Herz und mit Hand dir, Land voll Lieb und Leben, mein deutsches Vaterland». Theodor Heuss plädierte für eine neue Hymne und beanspruchte in dieser Sache eine präsidiale Kompetenz. Der Bundeskanzler wollte an die Weimarer Praxis anschließen. Nicht ohne Gespür für das, was die schweigende Mehrheit dachte und wünschte, suchte er eine außerparlamentarische Entscheidung.

Zur allgemeinen Überraschung nutzte er eine Veranstaltung am 18. April 1950 im Berliner Titania-Palast zu einem hymnischen Plebiszit. Als er seine Rede über Deutschlands Rolle in Europa beendet hatte, forderte er die mehr als eintausend Menschen im Saal auf, mit ihm die dritte Strophe des Deutschlandliedes zu singen – als ein «heiliges Gelöbnis», wie er erläuterte, «daß wir ein einiges Volk, ein freies und ein friedliches Volk sein wollen». Während sich die Anwesenden verdutzt erhoben und «Einigkeit und Recht und Freiheit» sangen, verließen zahlreiche SPD-Politiker unter Protest den Saal. Die Westberliner Stadtkommandanten blieben sitzen, als ginge sie die gezielte Provokation nichts an.

Die Außenministerien der westlichen Alliierten nannten Adenauers Vorgehen geschmack- und taktlos – beließen es aber dabei. Die westdeutsche Presse reagierte positiver. Der für gesamtdeutsche Fragen zuständige Minister Jakob Kaiser sprach von einem «schönen Staatsstreich». Der SPD-Vorsitzende Kurt Schumacher tat Adenauers Vorpreschen als «Handstreich» ab. Theodor Heuss zeigte sich verärgert. Durch das Bundespräsidialamt ließ er erklären, daß die Frage der Nationalhymne, die in seine Prärogative falle, keineswegs entschieden sei. Und er wollte sich nicht unter Zeitdruck setzen lassen. Bei internationalen Wettkämpfen und Siegerehrungen begnügte man sich mit der von Beethoven vertonten Schiller-*Ode an die Freude*. Eine Regelung, die bei den Olympischen Spielen noch bis in die späten 1960er Jahre praktiziert wurde.

Noch bevor Adenauer in die Öffentlichkeit gegangen war, hatte Heuss Rudolf Alexander Schröder um einen neuen Hymnentext gebeten. Der Entwurf lag im Herbst vor. Der Schriftsteller-Prediger orientierte sich an der Schlußsentenz des 1. Korinther-Briefes und gab seiner *Hymne an Deutschland* einen nur verhalten politischen Charakter: «Land des Glaubens, deutsches Land/ Land der Väter und der Erben,/ uns im Leben und im Sterben/ Haus und Herberg, Trost und Pfand,/ sei den Toten zum Gedächtnis,/ den Lebendgen zum Vermächtnis/ freudig vor der Welt bekannt.» Carl Orff lehnte die Vertonung des Textes als zu «protestantisch-choralhaft» ab. Der Entwurf des Komponisten Hermann Reutter wurde nach einigen Änderungen angenommen.

Für den Silvesterabend 1950 war die Uraufführung vorgesehen – im Anschluß an die Ansprache des Bundespräsidenten. Zuvor hatte Heuss eine Reihe ausgewählter Pressevertreter vertraulich informiert. Aber die Öffentlichkeit erfuhr davon und die Reaktion fiel zögerlich bis ablehnend aus. Die neue Hymne wurde eher als Kirchenlied oder Trauermarsch empfunden. Auch mangelnde Volkstümlichkeit warf man ihr vor. Eine erhebende Wirkung traute man ihr jedenfalls nicht zu. Eine Nationalhymne aber, die nicht einmal einen Anflug von Nationalstolz verströmte, schien ungeeignet. Das Wort von «Theos Nachtlied» machte die Runde. Und Gottfried Benn spottete: «Der Text ganz ansprechend, vielleicht etwas marklos. Der nächste Schritt wäre dann ein Kaninchenfell als Reichsflagge.»

Auch in Politik und Gesellschaft fand die Heuss-Hymne keine Unterstützung. Der Deutsche Sportbund hielt ebenso am Deutschlandlied fest wie die Kultusministerkonferenz. Eine Allensbach-Umfrage ergab im Herbst 1951, daß fast Dreiviertel der befragten Bundesbürger die Hoffmann-Haydn-Hymne behalten wollten. Nur knapp zehn Prozent waren dagegen, etwa doppelt so viele mochten sich nicht entscheiden.

Längst war offensichtlich geworden, daß sich Heuss im Hymnenstreit gegen Adenauer nicht würde durchsetzen können. Aber der Bundespräsident weigerte sich, das Deutschlandlied mit einer präsidialen Erklärung im Bundesgesetzblatt einzuführen. Die Veröffentlichung des Briefwechsels zwischen Adenauer und Heuss im Bulletin des Bundespresse- und Informationsamtes am 6. Mai 1952 mußte genügen. Verwiesen wurde auf außenpolitische Erfordernisse, auf den Wunsch der überwiegenden Mehrheit der Deutschen, mit dem ausdrücklichen Hinweis, daß bei staatlichen Veranstaltungen nur die dritte Strophe gesungen werden solle. Im übrigen würde die Wiedereinführung des Deutschlandliedes an die Weimarer Tradition anschließen und bedeute «keine Anknüpfung an nationalistische Vorstellungen».

Das Ausland blieb dennoch reserviert. Die Hohen Kommissare sahen in der Hymnenfrage eine deutsche Angelegenheit. John McCloy, der US-amerikanische Hochkommissar, befand, ausschlaggebend sei nicht, «was die Völker singen, sondern wie sie handeln». Die *Frankfurter Allgemei-*

ne begrüßte die Entscheidung, weil Symbole notwendig seien für die Verankerung des Gemeinwesens in den politischen «Gefühlswerten». Und die *Hamburger Freie Presse* meinte, das Deutschlandlied sei durch eine hundertjährige Tradition geadelt und durch ihren 12jährigen Mißbrauch keineswegs entweiht.

Damit war zwar der Hymnenstreit zwischen Adenauer und Heuss beigelegt, aber nicht auch schon der Streit um den Umgang mit der Hymne beendet. Im Gegenteil. Oft wurde die geläufige erste Strophe gesungen – die dritte war noch weitgehend unbekannt. Zu einem Eklat kam es, als Deutschland 1954 überraschend Fußballweltmeister wurde und Fans die erste Strophe grölten. Und als ein Jahr später die letzten deutschen Kriegsgefangenen aus der Sowjetunion in Friedland empfangen wurden, sangen sie wie selbstverständlich ebenfalls die erste Strophe des Deutschlandliedes. Wie groß die Konfusion beim Singen der Nationalhymne war, zeigt eine weitere Umfrage. Gefragt nach der ersten Zeile der Nationalhymne, gab etwa die Hälfte der Befragten die der ersten Strophe an, nur knapp ein Drittel sagte, politisch korrekt, «Einigkeit und Recht und Freiheit».

Mochte auch der angesehene Tübinger Politikwissenschaftler Theodor Eschenburg die Hymne verteidigen und sie ein Lied «der Innigkeit und der Sehnsucht, nicht aber der Macht und des Chauvinismus» nennen, die Unsicherheit blieb. Anläßlich von Hoffmanns einhundertstem Todestag befand die *dpa*, die «verhinderte Nationalhymne» sei eher für «Kriegszeiten geeignet». Die Bundespost wollte den Dichter nicht mit einer Sondermarke ehren. Auch im Rundfunk erklang die Hymne seltener. Mehr und mehr schien das Hymnenproblem dadurch gelöst zu werden, daß aus ihm ein ‹Lied ohne Worte› wurde.

Ausgerechnet im Jubiläumsjahr 1989, als beide deutsche Teilstaaten selbstbewußt ihr vierzigjähriges Bestehen feierten, kam die nur noch selten beschworene nationale Einheit

150 Jahre Deutschlandlied

Einigkeit und Recht und Freiheit
Für das deutsche Vaterland
Danach laßt uns alle streben
Brüderlich mit Herz und Hand
Einigkeit und Recht und Freiheit
Sind des Glückes Unterpfand
Blüh' im Glanze dieses Glückes
Blühe deutsches Vaterland

Hoffmann von Fallersleben

Deutsche Bundespost

100

1991

Erst 1991 entschloß sich die Bundespost, den Dichter und Germanisten August Heinrich Hoffmann von Fallersleben zum 150. Jahrestag der Nationalhymne mit einer Briefmarke zu ehren

in Reichweite, erlebte das Deutschlandlied eine unerwartete Renaissance. Als am 9. November bekannt wurde, daß die DDR «erstmals Freizügigkeit» für ihre Bürger angeordnet hatte und die Mauer passierbar geworden war, erhoben sich Abgeordnete im Deutschen Bundestag und sangen «Einigkeit und Recht und Freiheit». Am darauffolgenden Abend wiederholte sich dieser Akt mit Alt-Bundeskanzler Willy Brandt und Bundeskanzler Helmut Kohl vor dem Schöneberger Rathaus. Und auch am 3. Oktober 1990, am Abend der Feier zur deutschen Einheit, wurde der hymnische Gesang vor dem Reichstag angestimmt.

Kanzler Kohl konnte damit wahrmachen und feiern, was einer seiner politischen Ziehväter bereits im August 1949 als symbol- und deutschlandpolitisches Fernziel in den Blick genommen hatte. Auf einer Wahlkampfveranstaltung mit Konrad Adenauer in Landau nannte der CDU-Politiker und spätere Kultusminister von Rheinland-Pfalz, Albert Finck, die Hoffmann-Hymne ein «provisorisches Bundeslied», rühmte Adenauer als den «Architekten des neuen Deutschland» und gab seiner Hoffnung Ausdruck, daß an dem Tag, an dem «Gesamtdeutschland beisammen» sei, das Deutschlandlied endgültig zur Nationalhymne erklärt werden würde. Schließlich forderte Finck das ebenso überraschte wie begeisterte Publikum auf, die dritte Strophe des Deutschlandliedes zu singen. Für Adenauer war dies eine nützliche Erfahrung, die er, wie schon eingangs erwähnt, wenig später in Berlin wiederholte. Im Publikum saß auch der gerade 19jährige Helmut Kohl.

Mit dem spontanen Enthusiasmus des hymnischen Gesangs war allerdings – weder 1949 noch 1989/90 – schon rechtsverbindlich über die deutsche Nationalhymne entschieden. Zumal in dieser Zeit auch die lange verbotene Zeile aus der DDR-Hymne wieder auflebte: «Deutschland einig Vaterland». Kurzzeitig wurde erwogen, die Becher/Eisler-Hymne zur neuen gesamtdeutschen Nationalhymne zu machen.

Im August 1991 haben Bundespräsident und Bundeskanzler – im Anschluß an das von Heuss und Adenauer praktizierte Verfahren – Briefe ausgetauscht und ausdrücklich bestätigt, daß allein die dritte Strophe Nationalhymne wird. Als nicht unerheblich erwies sich dabei, daß der Bundestag dafür bereits am 9. November 1989 eingetreten war, das Bundesverfassungsgericht im März 1990 im Verfahren einer Verfassungsbeschwerde die dritte Strophe gewissermaßen als Nationalhymne bestätigt hatte, indem es entschied, daß nur diese als «staatliches Symbol geschützt» sei. Und nicht zuletzt: Am 17. Juni 1953 hatten rebellierende Arbeiter das damals verbotene Deutschlandlied gesungen, zu einer Zeit also, in der die DDR längst über eine eigene Hymne verfügte. Das lenkt den Blick wiederum auf diesen deutschen Teilstaat – und noch einmal in die frühe Nachkriegszeit zurück.

Bereits im September 1949 waren Johannes R. Becher und der Komponist Hanns Eisler vom Politbüro beauftragt worden, bis Anfang Oktober, dem Termin der eigentlichen Staatsgründung, eine Nationalhymne zu schreiben bzw. zu komponieren. Entgegen allgemeiner Erwartung schrieb Becher keinen Text, der zur antifaschistisch-kämpferischen Aufbaustimmung der Zeit gepaßt hätte, sondern eine ‹Friedenshymne› in eher volksliedhaftem Stil.

Mit der Uraufführung setzte eine breite Kampagne zur Popularisierung der Hymne ein. Sie wurde bei Staatsempfängen, Sportwettkämpfen und auch bei privaten Feiern gesungen. Alle Rundfunksender der DDR spielten jeweils zum Beginn und Ausklang ihrer Programme die Hymne. In allen Schulklassen mußte sie regelmäßig gesungen werden. Verse der Hymne – vorzugsweise «Auferstanden aus Ruinen» und «daß nie eine Mutter mehr ihren Sohn beweint» – waren auf Spruchbändern an Landstraßen und über Dorfeinfahrten zu lesen oder in großen Lettern an Haus- und Trümmerwänden. Zeitweilig kam es zum innerdeutschen Hymnenstreit. Während die DDR das Becher/Eisler-Lied als ‹Deutsche Friedenshymne› feierte, diffamierte man die durch den Faschismus zum «Mord- und Raublied» verunstaltete Hoffmann/Haydn-Hymne. Westdeutsche Zeitungen polemisierten gegen die «neue sogenannte Nationalhymne der Sowjetzone», die man in der Zeit des Kalten Krieges als «Aktivistengesang» und «Spalterhymne» abtat.

Anfang der siebziger Jahre verstummte der Gesang. Erneut änderte die SED-Partei- und Staatsführung ihre nationale Doktrin. Hatte bis etwa Mitte der fünfziger Jahre das Ziel Gültigkeit: eine Nation, ein Staat, also Wiederherstellung der staatlichen Einheit Deutschlands, so hieß die neue deutschlandpolitische Linie nun: eine Nation, zwei deutsche Staaten. Anfang der siebziger Jahre begann die dritte Phase. Sie dauerte bis zum Ende der DDR. Die SED-Führung stellte die Entwicklung in beiden deutschen Staaten nicht nur als irreversibel dar, sondern als so dynamisch, jedenfalls im östlichen Teil, daß der sozialistische Staat auch eine sozialistische Nation hervorgebracht habe, weshalb die nationale Wiedervereinigung mit dem vorgeblich rückständigen, noch tief im Klassenwiderspruch steckenden westdeutschen Teilstaat kein erstrebenswertes Ziel mehr war.

«Deutschland einig Vaterland» paßte daher nicht mehr in das deutschlandpolitische Konzept. In weiten Teilen der Bevölkerung stieß das Textverbot auf Unverständnis. Den westdeutschen Kommentatoren war nicht entgangen, daß auch in der Bundesrepublik der Hoffmannsche Text immer seltener gesungen und deshalb nur die Haydn-Melodie gespielt wurde. Man sprach von den «verstummten Hymnen» der Deutschen, von den beiden Hymnendichtern ohne Fortüne: «Den einen, Hoffmann, zieh man des Chauvinismus, weil er an Maas und Memel Deutsches wähnte und damit doch nur Sprachgrenzen von einst umreißen wollte. Dem anderen, Becher, war auf Dauer nicht vergönnt, sein ‹sozialistisch einig Vaterland› zu besingen, von dem er ein Leben lang träumte. Aber deutsch scheint's allemal, was Dichtern und Hymnen widerfuhr.» (Joachim Trenkner)

Erst in der politischen Umbruchphase kehrte die Hymne in die öffentliche Diskussion zurück. Ende 1989 regte Eberhard Aurich, der erste Sekretär der FDJ an, zu Eislers Musik wieder einen Text zu singen. Es sollte ein neuer sein, in dem das «DDR-nationale» Gefühl zum Ausdruck kommen müsse. Die Lyrikerin Gisela Steineckert hielt Bert Brechts *«Kinderhymne»* für die denkbar schönste Lösung: «Anmut sparet nicht noch Mühe/ Leidenschaft nicht noch Verstand/ Daß ein gutes Deutschland blühe/ Wie ein andres gutes Land.» Immerhin war es seinerzeit als anspielungsreiches Gegenlied zu der in seinen Augen diskreditierten Hoffmannschen Nationalhymne entstanden. Den konkreten Anlaß hatte Brecht vermutlich das erwähnte Hymnen-Plebiszit im Titania-Palast gegeben. Während der Verhandlungen um den Einigungsvertrag kam sie als gesamtdeutsche Hymne ins Gespräch. Dabei blieb es.

Die Geschichte des Deutschlandliedes als umstrittene und umkämpfte Nationalhymne verweist also auf drei Traditionslinien. Sie haben die politisch-kulturelle Nationsbildung Deutschlands spannungsreich geprägt: eine demokratische bzw. liberalnationale, eine völkisch-nationalistische und eine kommunistische. Die erste beginnt in der bürgerlich-oppositionellen Einigungsbewegung der vormärzlichen Zeit und reicht über Weimar in die Bundesrepublik. Die zweite nimmt ihren Ausgang im Reichsnationalismus des Kaiserreichs und reicht über den Ersten Weltkrieg und den völkischen Nationalismus der Zwischenkriegszeit bis in den NS-Staat. Und die dritte beginnt danach, mit dem vorgeblichen Anspruch auf ein neues, antifaschistisches, sozialistisches und demokratisches Deutschland.

So sind in den verschiedenen politischen Systemen Deutschlands entweder unterschiedliche Hymnen oder zur gleichen Haydn-Melodie ein jeweils anderes Lied gesungen worden, teils mit der ersten, teils mit der dritten Strophe, teils ohne Worte. Die Geschichte unserer Hymnen mit all ihrer Unbestimmtheit und Mißdeutung, ihrer unterstellten Maßlosigkeit und «verstümmelten Gestalt» (Hermann Kurzke) ist auch Ausdruck und Spiegelbild der wechselvollen deutschen Geschichte. In der die ursprüngliche Bedeutung verfälschenden Beschränkung auf die erste Strophe und gleichzeitiger Unterdrückung der dritten, demokratischen, blieb stets etwas von der vormärzlichen Freiheits- und Einigungshoffnung bewußt. Und im schamhaften Verschweigen der nationalsozialistisch kontaminierten ersten Strophe, ja, in der Rückführung der Hoffmann-Hymne auf die bloße Haydn-Melodie klingt das sprachlose Erschrecken über die Gewaltverbrechen Hitler-Deutschlands unüberhörbar nach.

EIN NEUES DEUTSCHLAND?

Jahrestage der DDR

Die DDR ist in einer Art Doppelgeburt entstanden. Der Staatsgründung ging die Parteigründung voraus. Deshalb muß man mit ihr beginnen, zumal sie für das historische Selbstverständnis des ‹zweiten Deutschland› grundlegend war. Auf dem schönfärberisch so genannten «Vereinigungsparteitag» von SPD und KPD im April 1946 bekräftigten Otto Grotewohl (SPD) und Wilhelm Pieck (KPD), demonstrativ unter den Porträts von August Bebel, Wilhelm Liebknecht und Karl Marx (noch ohne Lenin und Stalin), die angebliche Überwindung der Spaltung der Arbeiterbewegung durch einen Händedruck. Der Parteitag wurde zum Gründungssymbol der Sozialistischen Einheitspartei Deutschlands (SED) und sollte der Fusionierung historische Legitimation verschaffen. Denn die verschlungenen Hände haben in der politischen Symbolik der Arbeiter- und Gewerkschaftsbewegung eine lange und gute Tradition als Zeichen nationaler und internationaler Solidarität. Sie erinnern vor allem an die freie und gleichberechtigte Vereinigung des Allgemeinen Deutschen Arbeitervereins unter Ferdinand Lassalle mit den von August Bebel und Wilhelm Liebknecht geführten Eisenachern zur Sozialdemokratischen Arbeiterpartei Deutschlands auf dem Gothaer Parteitag im Jahre 1875.

Die Notwendigkeit einer Wiedervereinigung der beiden Arbeiterparteien wurde mit der Erfahrung des antifaschistischen Widerstands begründet. In ihm hatten die Kommunisten – so der Kern der mythischen Umdeutung des antifaschistischen Kampfes – an der Seite der Roten Armee die Hauptlast getragen, weshalb sie nun zugleich Opfer und Sieger waren und folglich auch die Führung in der neuen Partei beanspruchten. Diese definierte die politische Vorgabe für den nun noch zu gründenden Staat, ein «neues Deutschland» aufzubauen.

So war durch die Parteigründung und das Parteiemblem ein erstes politisches Symbol geschaffen, mit dem die Neustaatsgründung DDR ein gleichsam vorstaatliches und traditionsbezogenes Element ihrer kulturellen Identität erhielt. Im gleichen Jahr kam auf Anordnung der sowjetischen Besatzungsmacht als erster politischer Feiertag der 1. Mai hinzu, der internationale Kampf- und Feiertag der Arbeiter.

Mit und in ihm suchte sich die DDR historisch zu legitimieren, und das in zweifacher Weise: als Wiedergeburt der wieder vereinten deutschen Arbeiterbewegung und als antifaschistischer Staat. Auf der ersten Maifeier erklärte Grotewohl: «So entfalten auch wir mit Freude und Zuversicht, aber auch mit tiefem Ernst und mit aller Kampfentschlossenheit heute wieder unser rotes Banner, auf dem an der Stelle des schmachwürdigen Hakenkreuzes in Zukunft die verschlungenen Hände der Eintracht und Brüderlichkeit stehen sollen.» Ausdrücklich wurde die Naturmetaphorik des Maientages auf die Maifeier übertragen und von einem «Frühlingsfest» der Arbeiterbewegung gesprochen, das «die Arbeiterherzen mit Freude und Zuversicht» erfülle, so wie sich der Mensch nach langer, dunkler Winterzeit an der Frühlingssonne und dem neuerlichen Blühen und Wachsen der Natur erfreut und erwärmt.

Mit Naturschwärmerei war es indes bei einer politischen Großveranstaltung nicht getan. Und im Arbeiter- und Bauernstaat konnte der 1. Mai auch kein Arbeiterkampftag mehr sein, oder wenn, dann nur mit einer bestimmten Ausrichtung. Die Nationalsozialisten hatten ihn zum «Tag der nationalen Arbeit» erklärt, in der DDR hieß er «Tag der Arbeit», an dem die «schaffende Gesellschaft» sich und ihren Staat feierte und vice versa. Das ursprünglich in ihm enthaltene agitatorisch-kämpferische Potential wurde nach außen abgeleitet, gegen die Bundesrepublik, den Westen, ob als Protest gegen deren Remilitarisierung oder als Manifestation der eigenen Stärke.

So hatte die Maifeier zunächst ein starkes militärisches Gepräge mit Marschmusik und militärischen Formationen. Einheiten der Volkspolizei waren in den Demonstrationszug ebenso integriert wie Betriebskampfgruppen. Seit 1956 kam eine Parade der Nationalen Volksarmee hinzu. In den späten 1970er Jahren wurde dieses Element abgeschwächt. Vor allem kam es der DDR-Führung darauf an, der Bevölkerung und der internationalen Öffentlichkeit den ökonomischen Fortschritt und die eigene Leistungsstärke zu demonstrieren: mit den ‹Helden der Arbeit›, den ‹Nationalpreisträgern›, ‹Aktivisten› und ‹Bestarbeitern›. Kinder, Jugendliche, Sportler, die Delegationen der einzelnen Bezirke etc. bildeten eigene Formationen, ebenso die ‹werktätigen Bauern›, die ‹volkseigenen Betriebe› oder der ‹Betrieb Universität›. Das Volksfest, das sich den Demonstrationszügen und Paraden, den Liedern, Reden und der unverzichtbaren Internationale anschloß, zog sich bis in die Nacht und bot den Hunderttausenden, die um den Alexanderplatz auf den Beinen waren, kurzweiliges Vergnügen, mit Musik und Tanz, Kinderprogrammen und Kaffeetafeln, Basaren und Sportvorführungen. Feuerwerk und Fackelzüge bildeten den Abschluß einer Veranstaltung, die vor allem einem Zweck diente: die Massen für ihr Wohlverhalten zu belohnen und auf weiteres Wohlverhalten zu verpflichten. 1953 erlebte die DDR eine ihrer größten Maifeier-Inszenierungen, mit fast einer Million Teilnehmern. Wenige Wochen später streikten Arbeiter. Schnell wurde daraus ein Volksaufstand, der nur durch sowjetische Panzer niedergeschlagen werden konnte.

Beim 1. Mai blieb es nicht. Schon 1950 erklärte die DDR zwei weitere Tage zu arbeitsfreien Staatsfeiertagen, den 8. Mai als «Tag des Dankes an die Sowjetunion» und der

«ewigen Verbundenheit» mit ihr, sowie den 7. Oktober als
«Tag der Republik» und «Tag des Stolzes auf die eigene Leistung». Ein Jahr zuvor hatte sich der Deutsche Volksrat der
Sowjetischen Besatzungszone als Provisorische Volkskammer
der DDR konstituiert und eine Verfassung angenommen.

Im Laufe der fünfziger Jahre kamen weitere Jahrestage*
hinzu, erhielten zahlreiche Berufsgruppen und gesellschaftliche Organisationen spezielle Feiertage, wurden aber auch
Gedenktage und -feiern für Rosa Luxemburg, Karl Liebknecht und Ernst Thälmann, für die Opfer des Faschismus,
für die Frauen, die Armee und die Jugend etc. eingeführt. Im
Zentrum des umfangreichen politischen Feiertagskalenders
der DDR stand indes der «Tag der Republik», für den bereits
1951 eine verbindliche Feierverordnung erlassen wurde.
Zwar feierte die DDR jedes Jahr ihren Geburtstag, aber als
Höhepunkte ihrer Selbstdarstellung inszenierte sie vor allem die runden, und etwas weniger aufwendig, die halbrun-
den Jahrestage. Dies geschah in der 40jährigen DDR-Ge-
schichte siebenmal: 1959, 1964, 1969, 1974, 1979, 1984 und
1989. Es waren Mobilisierungskampagnen, denen stets eine
mehrmonatige, propagandistisch genutzte Vorlaufphase
vorausging.

Das Politbüro ließ keinen Zweifel daran, worauf es der
Partei ankam. Ziel der aufwendig organisierten Vorspiele der
eigentlichen Jubiläumsfeiern sei es, das «sozialistische Bewußtsein der Bevölkerung zu heben und eine Massenbewe-
gung ins Leben zu rufen, die sich von Monat zu Monat stei-
gert». Einerseits wurde die Bevölkerung aufgerufen, jeden
Arbeitstag im Vorfeld des 7. Oktober als «Kampftag für die
Republik» anzusehen und zu «Massenaktionen gegen die
atomare Aufrüstung» des Westens zu nutzen. Andererseits
schreckte sie auch vor einer Infantilisierung ihrer Geburts-
tagsmetaphorik nicht zurück – 1959 wurde die DDR zehn
Jahre alt, und die offizielle Geburtstagsregie reimte dazu:
«Für des Volkes Wohlstand, Frieden, Glück, deckt alle mit

den Tisch der Republik.» Um überhaupt etwas auf den «Gabentisch der Republik» zu bringen, mußte vor allem die Leistungsbereitschaft der werktätigen Massen gesteigert werden, ging es doch seit dem V. Parteitag vor allem um den verschärften Wettbewerb mit dem Bruder im Westen, dessen wirtschaftswunderlicher Konsumgüter-Wohlstand beneidenswerte Maßstäbe setzte.

Zehn Jahre später, zum zwanzigsten Jahrestag, zielte die Parole einmal mehr auf den Ausbau des Sozialismus. Die Bevölkerung wurde aufgerufen: «Rationeller produzieren für Dich, für uns, für unseren sozialistischen Friedensstaat.» Erstmals mischten sich in die Appelle zur Leistungssteigerung und Verschönerung der Städte und Gemeinden – mit Lichtbändern und Blumenbeeten, geschmückten Balkonen und neuen Springbrunnen – auch militärpolitische Töne. Während die Messestadt Leipzig sich als «Stadt der Blumen, Wasserspiele und des Lichts» empfahl und sich die Hauptstadt anschickte, mit dem entstehenden Fernsehturm «Weltstadt» zu werden, wurde unter dem Motto «Signal DDR 20» an die Verteidigungsbereitschaft der Jugend appelliert. Die USA führten Krieg in Indochina, zwei Jahre zuvor hatte der Sechs-Tage-Krieg die instabile Lage im Nahen Osten vor Augen geführt, und als noch prekärer mußte die DDR-Führung den Einmarsch der Warschauer Paktstaaten in die CSSR empfinden, zumal sich am Protest gegen die Niederschlagung des «Prager Frühlings» auch DDR-Jugendliche beteiligt hatten. Zum Höhepunkt geriet der 25. Geburtstag der DDR. Vor dem Hintergrund der neuen Deutschlandpolitik war eine gesamtdeutsche Perspektive inzwischen keine politische Option mehr. Hatte man in der Verfassung von 1968 noch vom «sozialistischen Staat deutscher Nation» gesprochen, so hieß es in der neuen Verfassung von 1974 von der DDR nur noch, sie sei ein «sozialistischer Staat der Arbeiter und Bauern».

Mit großem Aufwand begannen 1989 die Vorbereitungen

Die erste Seite aus dem Zentralorgan «Neues Deutschland» vom
9. 10. 1989

zum 40. Geburtstag der DDR. «Vorwärts zum 40. Jahrestag»
lautete die Parole. Bis zu den Feierlichkeiten im Oktober
sollten vier Themen die Bevölkerung mit Stolz erfüllen und
in Vorfreude auf den Geburtstag versetzen: die unvermeid-
liche Produktionspropaganda, die Erinnerung an herausragende ‹sozialistische Persönlichkeiten› und die großen Erfolge des DDR-Sports sowie ein Rückblick auf die Geschichte
der DDR. Aber es kam ganz anders. Als sich die Staatsführung in Berlin zur Geburtstagsfeier versammelte, antworte-
te die DDR-Bevölkerung in der Hauptstadt und insbesondere in Leipzig mit einem Gegenfest, einer ‹friedlichen
Revolution›, die sich aus den Montagsandachten und Mon-
tagsdemonstrationen heraus entwickelt hatte.

Die DDR, das «neugeborene», inzwischen vierzig Jahre alt
gewordene, vermeintlich «unschuldige Kind» des Zweiten
Weltkrieges und des antifaschistischen Kampfes gegen Hitler-Deutschland, wurde jetzt zu Grabe getragen. Aus einer

vorgeblichen «Wiedergeburt» der gespaltenen deutschen Arbeiterbewegung hervorgegangen, sollte diese Bewegung zu einer Überwindung der deutschen Teilung führen und damit auch zu einer «Wiedergeburt» Deutschlands. Sie fand auch statt, allerdings sehr viel später und ganz anders, als sich dies die «Gründungsmütter und Gründungsväter» der DDR vierzig Jahre zuvor vorgestellt hatten.

DER 17. JUNI

Aufstand im Osten, Feiertag im Westen

Nach Stalins Tod verkündete die Moskauer Partei- und Staatsführung im Frühjahr 1953 einen «Neuen Kurs». Auch die SED-Führung sah sich zu Korrekturen und Zugeständnissen gezwungen. Auf die Proteste der Bauern, der städtischen Mittelschichten, der Intelligenz und der Kirchen reagierte die Partei. Gegenüber den Forderungen der Arbeiterschaft aber blieb die SED unnachgiebig. Die kurz zuvor beschlossene Erhöhung der Arbeitsnormen um 10 Prozent – faktisch eine Lohnkürzung – nahm sie nicht zurück. Das brachte das Faß zum Überlaufen und war der Anstoß zur Arbeitsniederlegung.

Am 16. Juni streiken zunächst einige hundert Bauarbeiter der Stalin-Allee, ausgerechnet dort, wo das propagandistische Renommierobjekt für den Aufbau des Sozialismus hochgezogen wurde. Zunächst versammeln sich etwa 10 000 Menschen vor dem Haus der Ministerien, dem heutigen Sitz des Bundesfinanzministers und Görings einstigem Luftfahrtministerium. Am Nachmittag verhängt die sowjetische Besatzungsmacht über weite Teile des Landes den Ausnahmezustand – die lange aufgestaute Unzufriedenheit mit den wirtschaftlichen und politischen Verhältnissen hat auch in Bitterfeld, Halle, Leipzig und Magdeburg zu Großstreiks und Aufständen geführt. Ministerpräsident Grotewohl und SED-Generalsekretär Ulbricht lassen sich verleugnen, als die Menge ihren Rücktritt verlangt und die Wiederzulassung der Parteien, Freilassung der politischen Gefangenen und freie Wahlen fordert. Sowjetische Panzer und kasernierte Volkspolizei fahren auf. Inzwischen ist der Aufstand auf eine halbe Million Menschen angewachsen. Sie gehen mit Pflastersteinen gegen die T4-Panzer vor. Schüsse fallen. Es gibt Tote. Mindestens 50 Demonstranten kommen bei dem Aufstand ums Leben. Etwa 13 000 Personen werden verhaftet. Am Abend des 17. Juni bricht der Aufstand zusammen. Er war nicht vorbereitet, eine Führungsperson fehlte, eine zentrale politische Steuerung auch.

Die DDR machte – innerhalb ihres Geschichtsbildes folgerichtig – aus dem Aufstand einen von außen inszenierten, konterrevolutionären faschistischen Putsch, hinter dem sie – aus der Logik ihrer Staatsräson – ‹imperialistische Machenschaften› des westlichen Auslands argwöhnen mußte.

In der Bundesrepublik war der 17. Juni für mehrere Wochen das beherrschende Medienereignis. Die Debatten über Ursachen, Hintergründe und mögliche Folgen für die Menschen in der ‹Zone›, aber auch für Deutschland als geteiltes Ganzes, bestimmten den Wahlkampf zum zweiten Deutschen Bundestag. Den nachhaltigsten Eindruck haben wohl die Fotoserien in den illustrierten Zeitschriften und Kino-Wochenschauen gemacht: wehrlose, mutige Menschen, die sich in der Leipziger Straße und am Potsdamer Platz Steine werfend den sowjetischen T4-Panzern entgegenstellen. Untergehakte Menschenreihen, die mit der schwarz-rot-goldenen Fahne durchs Brandenburger Tor ziehen. Diese Bilder appellierten an die antikommunistische Stimmung ebenso wie an das nationale Einheits- und Freiheitsgefühl.

Ihrer emotionalen Wirkung konnte sich kaum jemand entziehen. Damals gab es noch ein gesamtdeutsches Bewußtsein, die Teilung wurde noch nicht als auf lange Sicht endgültig angesehen. In der allgemeinen Erregung kamen aber wohl sehr verschiedenartige Gefühle zusammen: Kriegsangst, Solidarität, Erstaunen, vielleicht auch Stolz. Einen Aufstand gegen politische Unfreiheit und soziale Ungerechtigkeit hatte man den Ostdeutschen nicht zugetraut, der jungen Generation schon gar nicht. Schließlich war sie in der Hitler-Diktatur geboren und unter der SED-Diktatur aufgewachsen.

Daß ein Volk seine Freiheit selbst erobern muß (Walter Grab), an dieses Vermächtnis vormärzlicher Erhebung erinnerte der Arbeiteraufstand. Bezeichnenderweise ist er nicht von seinem Ende, vom Scheitern der Forderung nach politischem Wandel gedeutet worden, sondern von seinem Anfang, dem Beginn dieses verheißungsvoll mutigen Selbstbefreiungsversuchs. Immer wieder wurde eine Parallele gesehen in den antinapoleonischen Befreiungskriegen. Immer wieder wurden Ernst Moritz Arndt («Was ist des Deutschen Vaterland») und Theodor Körner («Das Volk steht auf, der Sturm bricht los!») zitiert. Marion Gräfin Dönhoff verlieh dem 17. Juni gar das Prädikat, «die erste wirkliche deutsche Revolution» zu sein. Dem Zeitgeist des Kalten Krieges entsprach es, wenn die Revolte als antitotalitärer Aufstand gedeutet – und tendenziell mit dem Widerstand gegen die NS-Diktatur gleichgesetzt wurde. Auch das westliche Ausland beteiligte sich an den heroisierenden Interpretationen dieses bewegenden Ereignisses, das die politische Phantasie so sehr inspirierte. Den größten Eindruck machte der ostdeutsche Volksaufstand auf die Franzosen. Sie organisierten Massenkundgebungen in Paris und solidarisierten sich mit den «Freiheitskämpfern des 17. Juni».

Die mythische Verklärung des 17. Juni war in vollem Gange, als sich der Bundestag anschickte, daraus ein Symbol nationaler Einheit und Freiheit zu machen. Schon Anfang Juli erhielt er den von Herbert Wehner vorgeschlagenen Namen «Tag der deutschen Einheit». Gleichwohl stritten die Parteien um ihn. Während die SPD den Arbeiteraufstand in historischer Perspektive deutete – die Arbeiterklasse als Avantgarde im Kampf um nationale Einheit und Freiheit – , instrumentalisierte Adenauer dieses Ereignis für seine Außenpolitik – als Demonstration für die Westbindung.

Erste gedenkpolitische Aktivitäten gingen allerdings von der US-Regierung aus. So entstand die Idee, beim Reichstag, der durch ein neues Gebäude ersetzt werden sollte, eine *Hall*

Briefmarke zum 17. Juni 1953 mit Szene des Aufstandes

of Heroes für die Opfer der Aufständischen zu errichten. Auch an einen *Go Home Ivan Day* war gedacht. Verantwortliche auf deutscher Seite standen den Amerikanern an Einfallsreichtum nicht nach. Führenden Deutschlandpolitikern erschien es zweckmäßiger, diese Impulse politisch zu nutzen, und zwar in einer institutionalisierten Volksbewegung für die Wiedervereinigung. Daraus ging das *Kuratorium unteilbares Deutschland* hervor.

Die Bundesregierung hielt sich zurück und überließ das Feld den gesellschaftlichen Gruppen und politischen Parteien. So konnte es nicht ausbleiben, daß bei der Suche nach einer angemessenen Gestaltung dieses Gedenktages teilweise extreme Formen gefunden wurden. Auf Initiative der FDP in Nordrhein-Westfalen versammelten sich bis Ende der fünfziger Jahre am 17. Juni mehrere tausend Menschen zu nächtlicher Stunde am Fuße des Hermannsdenkmals, um bei Fackelschein und deutschem Liedgut die «Gefallenen der Nation» zu ehren und der «Blutzeugen der Wiedervereinigung» zu gedenken. Chauvinistische und revisionistische Obertöne fehlten dabei nicht. Um 1958, auf dem Höhepunkt

dieser Entwicklung, wurden in ca. 35 000 Städten und Gemeinden Feiern abgehalten mit einer Beteiligung von etwa 5
Millionen Menschen. Ende der fünfziger Jahre hatten sich
zwei konträre Gedenktagskonzepte herausgeschält. Eine
eher westdeutsch und westlich ausgerichtete ‹Siegesfeier›
und eine Art ‹Reichsfeiertag›, mit dem Sozialdemokraten
und Liberale das gesamtdeutsche Vermächtnis des 17. Juni
würdigten. Das Kuratorium bemühte sich, diesen Zwiespalt
zu überwinden.

Natürlich war damit auch ein national- bzw. volkspädago-
gischer Auftrag verbunden. Was lag da näher, als nationale
Gedächtnisorte wieder ins öffentliche Bewußtsein zu brin-
gen, so etwa Helgoland, die Burg Ludwigstein, den Hohen
Meißner, und natürlich auch und gerade solche, die auf dem
Territorium der DDR lagen: die Wartburg, das Leipziger
Völkerschlachtdenkmal, das Brandenburger Tor u. a. Zu den
traditionell beliebten Medien des nationalpolitischen Kultes
gehörte auch das Feuer als Symbol der Freiheit und Einheit.
In den fünfziger und frühen sechziger Jahren brannten in
der Nacht zum 17. Juni an vielen Orten der innerdeutschen
Grenze Feuer – die «brennende Grenze» wurde zum geflü-
gelten Wort.

Unentbehrlich für das nationale Gemeinschaftsgefühl war
die Rückbesinnung auf das Erbe des «deutschen Geistes»,
namentlich auf Friedrich Schiller, den deutschen Freiheits-
dichter schlechthin. 1955, in seinem 150. Todesjahr, beriefen
sich beide deutsche Teilstaaten auf den Weimarer National-
dichter. Aber nicht nur die kulturell interessierten Kreise
wurden angesprochen. Der Straßenverkauf von Autoplaket-
ten und Anstecknadeln mit wechselnden Mottos («Macht
das Tor auf!» «Selbstbestimmung für alle Deutschen!» «Einigkeit und Recht und Freiheit!») sollte das nationale Bewußtsein auch im Alltag gegenwärtig halten. Im Dezember
1961 wurde die Bevölkerung landesweit aufgefordert, am
Heiligabend Kerzen in die Fenster zu stellen. Sie sollten ein

leuchtendes «Zeichen der Verbundenheit mit unseren Landsleuten jenseits der Mauer und des Stacheldrahts» sein. Die Kerzen-Demo hatte es in den fünfziger Jahren schon in den grenznahen Orten gegeben. Auch als Motiv auf einer Sonderbriefmarke fand es millionenfach Verbreitung.

Anfang der sechziger Jahre mehrten sich allerdings die Anzeichen, die auf einen Einstellungswandel zum ‹17. Juni› hindeuteten. Nun wurde sichtbar, daß es nicht mehr um unterschiedliche Deutungen des verklärten Arbeiteraufstandes ging, sondern um die inhaltliche Akzeptanz und Funktion des Gedenktages überhaupt. Offenkundig war inzwischen, daß die Westdeutschen diesen politischen Feiertag als Freizeitvergnügen nutzten. Aus einer Demonstration für «Einheit in Freiheit» hatten sie, so *Der Spiegel*, eine Demonstration der «Einheit in Freizeit» gemacht.

Auch auf der politisch-publizistischen Bühne begann spätestens mit dem Mauerbau die Zeit des Umbruchs. Ein Jahr zuvor hatte Karl Jaspers, prominenter Philosoph und einer der intellektuellen Sprecher der Zeit, die Wiedervereinigung eine «politisch und philosophisch irreale» Forderung genannt, hatte Herbert Wehner in seiner berühmten Grundsatzrede für die SPD-Bundestagsfraktion nicht nur die Westbindung der Bundesrepublik anerkannt, sondern erstmals auch der Westpolitik den Vorrang eingeräumt vor der Wiedervereinigung.

Zu Beginn der Großen Koalition verständigten sich Regierungsmitglieder beider Volksparteien darauf, den ‹Tag der deutschen Einheit› als politischen Feiertag zu streichen. 1968 verzichtete der Bundestag erstmals auf eine parlamentarische Gedenkveranstaltung. Und mit Beginn der sozialliberalen Koalition wurden die Rollen im symbol- und deutungspolitischen Streit um die Deutschlandpolitik getauscht. Hatte zuvor die SPD den Arbeiteraufstand gegen Adenauers Westpolitik instrumentalisiert, konnte nun die CDU mit dem ‹17. Juni› gegen die neue Ostpolitik zu Felde ziehen. Die nächsten zwei Jahrzehnte standen im Zeichen von politischen Debatten um ein neues nationales Selbstbild – jenseits des deutschen Nationalstaats.

Den Auftakt machte der eben gewählte neue Bundespräsident. Die Fernsehrede Gustav Heinemanns aus Anlaß der Hundertjahrfeier zur Gründung des Kaiserreichs im Versailler Spiegelsaal schlug wie eine Bombe ein. Weil Heinemann die Verdienste der verkannten 48er Tradition ausdrücklich würdigte, während er die preußisch-deutsche Reichsnation kritisch bewertete, wurde er von der Opposition als ‹vaterlandsloser Geselle› attackiert und der ‹Reichsfeindschaft› bezichtigt. Verständlich wird diese schroffe Reaktion erst, wenn man sie im Kontext der neuen Ost- und Deutschlandpolitik betrachtet, den Moskauer Gewaltverzichtsvertrag, die Anerkennung der Oder-Neiße-Grenze und den Deutschlandvertrag.

Das alles hatte natürlich Auswirkungen auf den ‹17. Juni›. Als ein im Kern stets gegen die politische Ordnung der DDR gerichteter Gedenktag paßte er nicht mehr in das geschichtspolitische Konzept einer Regierung, welche die Existenz eines zweiten deutschen Staates anerkannte. Sehr viel geeigneter erschien nun der 23. Mai als Staatsfeiertag, der Tag der Republikgründung. Zumal das Grundgesetz seinen 25. Geburtstag feierte und die Paulskirchenverfassung 125 Jahre alt wurde. Auf eine Feier zum 17. Juni wollte man verzichten. Die Springer-Presse trumpfte mächtig auf und sprach vom «Verrat an den Opfern des 17. Juni». Am Ende gab es weder für den bisherigen noch für den alternativen neuen politischen Feiertag eine ausreichende Mehrheit.

Mit der Bildung einer christlich-liberalen Koalitionsregierung im Frühjahr 1983 erfuhr der 17. Juni eine nachdrückliche gedenkpolitische Aufwertung. Andererseits bemühte sich die Kohl-Regierung aber durchaus um eine Fortsetzung der Deutschlandpolitik der sozialliberalen Koalition. Es ging ihr vor allem um symbolpolitische Korrekturen: Mahnfeuer und Demonstrationszüge wurden wiederbelebt und um neue Formen ergänzt, z. B. Wiedervereinigungs-Rockkonzerte. Wiederbelebt wurden auch Gedenkfeiern im Bundestag und die früheren Schulfeiern zum Tag der deutschen Einheit, jedenfalls in den CDU-regierten Ländern.

So ist die Ambivalenz im Nationsdiskurs bis zur Maueröffnung gar nicht zu übersehen. Einerseits bemühte sich die Kohl-Regierung um eine ‹Normalisierung› und ‹Entkriminalisierung› der Vergangenheit. Sie wollte Deutschland als Ganzes aus dem Schatten von Auschwitz herauslösen. Andererseits aber sollte die Erfolgsgeschichte der Bundesrepublik der maßgebliche Bezug für das historische Bewußtsein der Menschen sein. Signifikanter Ausdruck dafür sind die beiden damals heftig umstrittenen nationalen Geschichtsmuseen, das Haus der Geschichte in Bonn und das Deutsche Historische Museum in Berlin.

«Niemand glaubt mehr an die Wiedervereinigung», so das Magazin *Der Stern* im Jahr 1987. Ihren 40. Geburtstag feierten DDR und Bundesrepublik für sich, ebenso selbstbezogen wie selbstbewußt. Die deutsche Zweistaatlichkeit schien nun auch symbolpolitisch auf Dauer befestigt – wenige Monate später fiel die Mauer. Und im darauffolgenden Jahr, am 23. August 1990, beschloß die Volkskammer, das letzte und einzig frei gewählte Parlament der DDR, gemäß Art. 23 GG, mit Wirkung vom 3. Oktober «den Beitritt der DDR zum Geltungsbereich des Grundgesetzes der Bundesrepublik Deutschland». Damit war ein eher ereignisarmes Datum an die Stelle des bisherigen ‹Tags der deutschen Einheit› getreten, an dem sich die Bevölkerung kaum mit Enthusiasmus öffentlich an den Mauerfall wird erinnern wollen.

Nur eine Stimme erhob in der abschließenden Lesung des Einigungsvertrages am 20. September dagegen Einspruch: «Nicht Regierungen, Beamte, Politiker oder Parteien haben die erste friedliche und erfolgreiche Revolution auf deutschem Boden durchgeführt und damit den Einsturz der

Mauer und der totalitären SED-Herrschaft bewirkt», erklärte der Grünen-Abgeordnete Lutz Häfner. «Daß sich Helmut
Kohl trotzdem als der Einheitsbringer feiern läßt (...), gehört zu den ungerechten Ironien der Geschichte. (...) Halten
Sie meinetwegen Ihre unvermeidlichen Feierreden über die
deutsche Einheit, über die Gunst der Stunde, über den Mantel der Geschichte (...), aber lassen Sie den lieben Gott und
am liebsten auch Beethoven aus dem Spiel. Vor allem, machen Sie den 3. Oktober nicht zum nationalen Feiertag. Dieses im Parteiengezänk (...) zustande gekommene Datum ist
der ungeeignetste Termin zum Feiern.»

Erstaunlicherweise erhob sich niemand und erklärte:
«Wir haben doch längst einen nationalen Feiertag. Halten
wir an ihm fest, denn der ‹Tag der deutschen Einheit› ist nun
erst zu seinem vollen Recht gekommen.» Davon wird im
übernächsten Abschnitt zu reden sein.

DER 20. JULI

Nur ein Aufstand des Gewissens?

Schon der Wille zum Tyrannenmord, zur befreienden Tat, diese «große verneinende Geste» (Joachim Fest) gegen Hitler hat das Stauffenberg-Attentat am 20. Juli 1944 von Anfang an zum Symbol gemacht. Und daß es so spektakulär scheiterte, hat seine mythenbildende Kraft noch erhöht und um so stärker als «Aufstand des Gewissens» erstrahlen lassen. Darin sind der 17. Juni und der 20. Juli unmittelbar vergleichbar. Gerade in der Niederschlagung des Volksaufstands durch sowjetische Panzer, gerade im Mißlingen des Anschlags auf Hitler wurde ein unübersehbares Zeichen gesetzt, ein Zeichen für Recht und Freiheit. Ein gelungener Anschlag hätte die Akteure sofort in die politische Verantwortung gerufen, sie dem Risiko des politischen Scheiterns ausgesetzt und ihre unterschiedlichen ordnungspolitischen Vorstellungen offenbar werden lassen, die jenseits ihrer Regimegegnerschaft durchaus und von Anfang an bestanden. Die der Tat zugeschriebene «Reinigung des deutschen Namens» (Hans Rothfels) wäre dadurch womöglich getrübt worden.

Gleichwohl vollzog sich die Geschichte der Ausdeutung und Instrumentalisierung dieser Tat nicht in geraden Bahnen. Über Jahrzehnte blieb der Widerstand ein Spielball politischer Interessen und divergierender Deutungen. Zu dieser Profilierung und anhaltenden Politisierung hat wesentlich der ideologische Konflikt des Kalten Krieges beigetragen, zumal dieser nicht nur zwischen den beiden deutschen Teilstaaten bestand, sondern auch innerhalb Westdeutschlands politisch-lagerbildend wirkte.

Der geschichtspolitische Kampf um die Deutungshoheit

über den 20. Juli begann bereits am Tag des Attentats. Blind-
wütige Verleumdung und Vernichtung der Verschwörer stehen am Anfang. In seiner haßerfüllten Rundfunkrede vom
21. Juli 1944 nannte Hitler die Verschwörer eine «ganz kleine Clique ehrgeiziger, gewissenloser und zugleich verbre-
cherischer, dummer Offiziere». Goebbels wollte ihm nicht
nachstehen und geiferte gegen die «ehrlosen Lumpen». An
die Grenzen ihrer Umdeutungsmacht gerieten die Nazis allerdings bereits im Schauprozeß gegen die Widerstandskämpfer vor dem ‹Volksgerichtshof›. Gegen dessen Präsidenten, den in seiner Raserei maßlosen Roland Freisler,
blieben sie unerschütterlich und standen – den Tod vor Augen – in großem Ernst für die sehr persönlichen, ethischen,
religiösen und nationalen Beweggründe ihres Tuns ein. In
diesen Auftritten mutiger Selbstbehauptung und in den von
Harald Poelchau, dem Gefängnispfarrer in Plötzensee, er-
greifend beschriebenen «letzten Stunden» der Verurteilten
ist der Ursprung zu sehen für die folgenreiche Deutung des
Attentats als ‹Aufstand des Gewissens›. Sie hat bis in die Gegenwart nichts von ihrer Stimmigkeit verloren, auch wenn
sie durch die spätere Widerstandsforschung differenziert
und kritisch hinterfragt wurde. Diesem Sinnbild aber vorzu-
werfen, was bisweilen geschieht, es würde die innere Zerrissenheit vieler Widerstandskämpfer verdecken und so, ge-
wollt oder ungewollt, zur Verklärung ihres Tuns beitragen,
hieße wohl, die enge Verbindung von Gewissensentscheidung und Gewissensnot, zumal in einer existentiellen
Grenzsituation, zu verkennen.

Zunächst war der deutsche Widerstand allerdings noch
kein für die politische Neuorientierung anschlußfähiges Ereignis. Weder auf seiten der Sieger noch bei den besiegten
Deutschen. Die Sowjetunion sah in ihm bloß eine «imperia-
listisch-antisowjetische Verschwörung». Die DDR hatte zum
nationalkonservativ-bürgerlichen Milieu der Offiziere des
20. Juli naturgemäß keinen Zugang. Im übrigen hätte eine

Anerkennung des Stauffenberg-Attentats als dem Schlüsselereignis der deutschen Widerstandsgeschichte den gerade entstehenden und alsbald in der ‹Nationalen Mahn- und Gedenkstätte› Buchenwald monumentalisierten Gründungsmythos von der antifaschistischen Selbstbefreiung empfindlich relativiert.

Aber auch den Westalliierten schien der Blick verstellt. Für sie war der Aufstand der Offiziere nur ein Putschversuch in letzter Minute und Ausdruck der Agonie Deutschlands, in der sich – wie Churchill es schon im August 1944 drastisch ausgedrückt hatte – «die höchsten Repräsentanten des Deutschen Reiches nun gegenseitig umbringen würden». In ihrer Sicht hatte das Attentat einen dreifachen Makel: es kam zu spät, es blieb erfolglos, und die verantwortlichen Offiziere waren für den Aufstieg und die Konsolidierung des NS-Regimes mitverantwortlich. Eine vorbehaltlose und frühe Anerkennung des Widerstands durch die Alliierten hätte, so mochten sie zudem befürchten, die Eindeutigkeit ihrer Verurteilung des Regimes und führender Repräsentanten womöglich untergraben.

Erhebliche Vorbehalte gab es aber auch unter den Deutschen selbst. Der Tatbestand einer beachtlichen, allerdings gescheiterten militärischen Opposition gegen Hitler konfrontierte die westdeutsche Politik von Anfang an mit einem schwer auflösbaren geschichtspolitischen Problem. Eine zu starke Ehrung der Männer des 20. Juli hätte als Mißbilligung des Verhaltens der übergroßen Mehrheit der Deutschen erscheinen müssen. Mit der Gründung der Bundesrepublik wurde es vordringlicher, die Deutschen von der Schuldlast der Vergangenheit zu befreien und ihnen die Akzeptanz der neuen politischen Ordnung zu erleichtern. In ein noch größeres Dilemma geriet die politische Führung durch den militärischen Widerstand beim Aufbau der neuen Streitkräfte. Man benötigte das Millionenheer ehemaliger Soldaten, die ihren Eid auf den ‹Führer› gehalten und bis zuletzt gekämpft

hatten, und konnte doch auf jene nicht verzichten, die eid-
brüchig geworden waren. Immerhin äußerten anfangs über
60 Prozent der Berufssoldaten eine negative Einstellung gegenüber den «Männern des 20. Juli».

In den Anfangsjahren der Bundesrepublik ließen nur etwa
40 Prozent der befragten Bundesbürger eine positive Einstellung zum Hitler-Attentat erkennen, ein Drittel schwank-
te, ein weiteres Drittel verurteilte den Umsturzversuch. Die
Deutschen, die sich in der frühen Nachkriegszeit unter dem
Eindruck der Kriegsniederlage, der Liquidierung des Deutschen Reiches, der Zerstörung ihrer Städte, der materiellen
Not, Flucht und Vertreibung und Millionen eigener Toter in
die Identität einer Opfergemeinschaft flüchteten, hatten zunächst andere Sorgen und anderes im Blick als das gescheiterte Attentat. Das änderte sich erst, als sie durch die Gunst
der weltpolitisch veränderten Lage zum umworbenen Bündnispartner der westlichen Alliierten aufstiegen. Nun waren
antitotalitäre Traditionen gefragt, begann man sich auf das
‹andere Deutschland› zu besinnen. Daran hatten bei Kriegsende schon eine Reihe erster Gedenkbücher und Dokumentationen erinnert. Der Zensur wegen mußten sie teilweise
im Ausland erscheinen und blieben ohne sonderliche Resonanz: Ulrich von Hassels *Vom anderen Deutschland*, Rudolf
Pechels *Deutscher Widerstand*, Eberhard Zellers *Geist der
Freiheit*, Fabian von Schlabrendorffs *Offiziere gegen Hitler*,
Hans Rothfels' *The German Opposition to Hitler*, und nicht
zu vergessen Ricarda Huchs unvollendetes Werk *Bilder
deutscher Widerstandskämpfer*.

Noch Anfang der fünfziger Jahre konnte der für die
‹Sozialistische Reichspartei› agitierende vormalige Wehr-
machtsoffizier Otto Ernst Remer, der an der Niederschlagung des militärischen Umsturzversuchs maßgeblich beteiligt war, zunächst unbehelligt die Regimegegner als
«Verräter» diffamieren und obendrein noch ihre Angehörigen bedrohen. Es ist vor allem Robert Lehr, dem kompro-

mißlosen Bundesinnenminister zu danken und mit ihm Fritz Bauer, dem unermüdlichen Ankläger des NS-Unrechtsstaates, daß Remer vor Gericht gestellt und verurteilt wurde. Noch bedeutsamer aber ist der geschichtspolitische Ertrag des Verfahrens, das dem 20. Juli als Symbol des Kampfes um die Wiederherstellung des Rechts den Weg bahnte. Zunächst entkräftete Bauer den Vorwurf des Verrats: «Am 20. Juli war das deutsche Volk total verraten, verraten von seiner Regierung, und ein total verratenes Volk kann nicht mehr Gegenstand eines Landesverrats sein.» Sodann erläuterte er die Rechtmäßigkeit oppositionellen und widerständigen Handelns: «Ein Unrechtsstaat, der täglich zehntausende Morde begeht, berechtigt jedermann zur Notwehr gemäß § 53 StGB. Jedermann war berechtigt, den bedrohten Juden (…) Nothilfe zu gewähren.»

Der ‹Aufstand des Gewissens› war ein wichtiges, aber eben auch schwieriges Gründungskapital für die Bundesrepublik. Wer die öffentliche Erinnerung an den 20. Juli «zu einem Kristallisationspunkt für das gemeinsame nationale Bewußtsein» machen wollte, wie Bundesinnenminister Gerhard Schröder (CDU) 1954 auf der Gedenkfeier in der Freien Universität Berlin erklärte, der mußte sich also vor allem mit dem Problem des ‹Führereides› und des ‹Treuebruchs› auseinandersetzen. Dazu gab insbesondere der 1955 vom Deutschen Bundestag eingesetzte Personalgutachterausschuß Gelegenheit. Dieser hatte das höhere Offizierskorps der neuen Bundeswehr zu überprüfen. Maßgeblich wurde die Kompromißformel der für den Aufbau der neuen Streitkräfte grundlegenden Himmeroder Denkschrift. Sie sprach sich für die Anerkennung der Gewissensentscheidung der «Eidbrecher» aus, aber zugleich auch für die Achtung der «Eidhalter», der vielen anderen Soldaten also, «die im Gefühl der Pflicht ihr Leben bis zum Ende eingesetzt haben».

In der öffentlichen soldatischen Traditionspflege zeigte sich insofern noch lange ein ambivalentes Bild: Bundeswehr-

angehörige beteiligten sich an den Gedenkfeiern für die
Offiziere des 20. Juli, aber sie nahmen auch teil an Ehrungs-
zeremonien vor Kriegerdenkmälern aus der NS-Zeit. Bun-
deswehrkasernen erhielten die Namen von Regimegegnern,
aber auch die von regimetreuen Generälen. Ende der fünfziger Jahre würdigte erstmals ein Generalinspekteur anläßlich
des 20. Juli in einem Tagesbefehl an die Truppe das Stauffenberg-Attentat als «Tat gegen Unrecht und Unfreiheit» und
als «Lichtpunkt in der dunkelsten Zeit Deutschlands».

Um soziale Integration ging es indes nicht nur beim Aufbau der Bundeswehr. Auch gesamtgesellschaftlich gesehen
waren die politischen Akteure darauf bedacht, die polarisie-
renden Effekte des 20. Juli zu überspielen und diesen Gedenktag für die innere Aussöhnung zu nutzen. Anläßlich des
20. Jahrestages bedauerte Bundespräsident Heinrich Lübke
die immer noch in der Gesellschaft bestehenden Vorbehalte
gegenüber der Widerstandsbewegung. Ausdrücklich wandte
er sich gegen die unredlichen Motive des Umgangs mit diesem Erbe und verlangte Respekt auch für jene, die als kommunistische und monarchistische Regimegegner Opfer der
politischen Verfolgung geworden waren.

Einen Wendepunkt in der Geschichte der politischen Gedenkfeiern zum 20. Juli markiert die Rede von Gustav Heinemann zum 25. Jahrestag des mißglückten Attentats in der
Gedenkstätte Plötzensee. Sie war konkreter, differenzierter,
schonungsloser in den Fragen, gründlicher in der Analyse
und selbstkritischer in den Antworten als alle staatsoffizielle
Rhetorik zuvor. Und der Präsident machte nicht nur den gesamten Widerstand zum Thema, er stellte ihn auch in eine
übergreifende Problemsicht. Das ‹Dritte Reich›, so Heinemann, sei kein ‹Betriebsunfall› der deutschen Geschichte gewesen, weder zureichend aus der Massenarbeitslosigkeit der
frühen dreißiger Jahre zu erklären noch aus den Belastungen
des Versailler Vertrages. Die Ursachen lägen tiefer. Man müsse ins 19. Jahrhundert zurückblicken, auf den «christlichen

Antisemitismus», die obrigkeitsstaatliche «Untertänigkeit», den «gewalttätigen Nationalismus».

Vor diesem Hintergrund würdigte Heinemann Komplexität und Heterogenität des Widerstands. Seiner «äußeren Erfolglosigkeit» stehe der «hohe moralische Rang» der Tat gegenüber, den unterschiedlichen politischen Zielsetzungen, ihre Einigkeit, «daß Unfreiheit und Krieg ein Ende haben sollten». Auch die rechtliche Problematik griff das Staatsoberhaupt auf. Was in der Abwehr der Aggressionen Hitler-Deutschlands als nationale Verteidigung galt, sei «hier drinnen Hoch- und Landesverrat» gewesen. Der von den militärischen Regimegegnern geleistete ‹Führereid› habe ihr Handeln erschwert und den Entschluß zur befreienden Tat verzögert, während sich Hitler über «die dem Treueid eigene Gegenseitigkeit der Pflichten» bedenkenlos hinweggesetzt hätte. «Wir müssen zugeben, daß wir nicht aus eigener Kraft zu einer freiheitlichen Demokratie durchgebrochen sind», so das Fazit des Bundespräsidenten, und «daß unsere heutige Bedrängnis der Spaltung das Ergebnis nationalistischer Erhebung ist.»

Das war eine geschichtspolitische Rede, wie sie die Republik noch nicht vernommen hatte – ohne glättende Formeln, ohne erhebendes Pathos. Nichts Tröstliches, keine versöhnliche Sicht auf ihre eigene Vergangenheit hatte der Bürgerpräsident seinen Landsleuten zu bieten. Und am Schluß nur ein bescheidenes persönliches Wort, ein selbstkritischer Rückblick auf die eigene Lebensgeschichte, daß er, der immerhin zu den führenden Mitgliedern der ‹Bekennenden Kirche› gehört hatte, «nicht mehr widerstanden habe».

Ein ganz anderes Bild boten fünf Jahre später Auftreten und Rede des baden-württembergischen Ministerpräsidenten Hans Filbinger (CDU). Als amtierender Bundesratspräsident war er vom SPD-geführten Berliner Senat gebeten worden, die Rede während der Gedenkfeier im Reichstag zu halten. Schon im Vorfeld der Veranstaltung hatte es Proteste

gegen das Auftreten des ehemaligen Marinestabsrichters gegeben, der noch nach der Kapitulation in Norwegen gegen
einen jungen Soldaten wegen Gehorsamsverweigerung eine
Gefängnisstrafe verhängt hatte. Aber nicht darauf ging er
ein. Vielmehr verwies er auf seine Zugehörigkeit zum Frei-
burger Freundeskreis um den Schriftsteller Reinhold
Schneider und dessen Nähe zum Widerstand, um gleichwohl, und wie Heinemann vor ihm, von eigener, schwerwie-
gender Unterlassung zu sprechen. Anders aber als jener
wollte Filbinger die Kommunisten nicht als Widerstandskämpfer anerkennen, wenn er ihnen auch den Status von
NS-Verfolgten zubilligte. Während seiner Rede wurde er
wiederholt unterbrochen. Zwischenrufe wie «Nazi»,
«Heuchler» und «NS-Richter» ertönten von der Besucher-
empore. Als ein junger Mann, es war ein Enkel des ermordeten Julius Leber, eine Erklärung verlesen wollte, wurde er
aus dem Plenarsaal geführt. Filbinger nannte den Protest
«schlechten Stil», bedauerte, «daß einige Leute die Würde
der Feierstunde mißachtet» hätten, und verwahrte sich zugleich gegen die Angriffe wegen seiner Tätigkeit als Marine-
richter.

Im Zusammenhang mit der Vorbereitung des 35. Jahrestages des Stauffenberg-Attentats kam es erneut zum Eklat.
Diesmal hatte das ‹Hilfswerk 20. Juli›, in dem sich die Hin-
terbliebenen der ermordeten Widerstandskämpfer organisiert haben, den SPD-Fraktionsvorsitzenden Herbert Wehner als Redner vorgeschlagen, wogegen ein Sohn des Hitler-
Attentäters, der CSU-Abgeordnete Franz Ludwig Graf
Schenk von Stauffenberg, vehement protestierte. «Das Gedächtnis an den 20. Juli erhalte mit Wehner eine falsche politische Färbung», behauptete Stauffenberg, denn der «Widerstand des 20. Juli» stehe «in einer anderen geistigen
Tradition und in einer anderen geschichtlichen Zielsetzung
(…) als sie die Geschichte Herbert Wehners verkörpere».
Der nicht zum ersten Mal wegen seiner kommunistischen

Richard von Weizsäcker bei seiner Ansprache während der Feier am 20. Juli 1980 im Ehrenhof, daneben das Denkmal von Richard Scheibe

Vergangenheit diffamierte Sozialdemokrat verzichtete mit Respekt für die Opfer des 20. Juli auf eine Mitwirkung. Einmal mehr erwies sich, daß die geteilte Nation ein gespaltenes Verhältnis zur eigenen Geschichte hatte und daß dieser Zwiespalt noch einmal die westdeutsche Gesellschaft teilte. Wenn sich die der NS-Diktatur ähnelnde SED-Diktatur über den kommunistischen Widerstand legitimierte, dann konnte dieser in der Bundesrepublik tendenziell keine Akzeptanz finden.

Unter Honecker begann auch die DDR ihre Geschichtspolitik zu revidieren. Als selbsternannte und selbstbewußte ‹sozialistische Nation› erweiterte sie ihren Fundus des nationalen Erbes, feierte Luther und Friedrich den Großen, bewertete Bismarck neu und rehabilitierte die preußischen Generäle. Das Stauffenberg-Attentat galt nun als «patriotische Tat», der preußische Heeresreformer und «Erfinder des

Volksheeres», Gerhard von Scharnhorst, wurde als Vorkämpfer der Nationalen Volksarmee in Anspruch genommen und sein von Christian Daniel Rauch geschaffenes
Standbild wieder vor der Neuen Wache aufgestellt, von wo
es bald nach Kriegsende entfernt worden war.

Damit war die Frage, wem Stauffenberg gehört, wer also
die maßgebliche Deutungsmacht über den 20. Juli besitzt
oder beanspruchen darf, noch nicht entschieden. Zumal sich
das vereinte Deutschland zwar weiterhin an den Leitbildern
und Symbolen der alten Bundesrepublik orientierte, die der
DDR aber entwertet wurden. Andererseits mußte die Gesellschaft des vereinten Deutschland nun erst beweisen, ob sie
Willy Brandts Appell zu folgen bereit sein würde, zusam-
menwachsen zu lassen, was zusammengehört, und ob sie
imstande sein würde, die Gegensätze in den kollektiven Erinnerungen auszuhalten bzw. aufzuheben. An einer der ersten Herausforderungen wäre sie fast gescheitert.

Im Vorfeld der Gedenkfeiern zum 50. Jahrestag des Stauffenberg-Attentats war es abermals Franz Ludwig Graf
Schenk von Stauffenberg, der, wie zwölf Jahre zuvor in sei-
nem Affront gegen Herbert Wehner, das öffentliche Widerstandsbild zu korrigieren suchte. Ziel seiner Intervention war
die Entfernung der Dokumentation des Nationalkomitees
Freies Deutschland und des Bundes Deutscher Offiziere aus
der nationalen Gedenkstätte Deutscher Widerstand. Beide
Organisationen hatten in sowjetischer Gefangenschaft gegen
Hitler-Deutschland gearbeitet – unter Führung deutscher
Exil-Kommunisten, zu denen auch Wilhelm Pieck und
Walter Ulbricht gehörten. In der überraschend heftigen Neu-
auflage dieses «geistigen Bürgerkrieges» *(FAZ)* konnte der
frühere CSU-Abgeordnete eine einflußreiche politisch-pub-
lizistische Streitmacht aufbieten: konservative Historiker
und Publizisten, Parteifreunde, Wehrmachtsveteranen, Bun-
deswehroffiziere und nicht zuletzt auch den Bundesverteidi-
gungsminister und neuen Hausherrn im Bendlerblock.

«Menschen, die ein Unrechtsregime nur durch ein anderes ersetzt haben», so Volker Rühe, verdienten nicht, «an gleicher Stelle und in gleichem Atemzug mit Persönlichkeiten wie Graf Stauffenberg, Goerdeler und Leuschner geehrt zu werden.»

Der «Bildersturm» konnte abgewehrt werden. Die Gedenkstätte Deutscher Widerstand wurde nachdrücklich durch den scheidenden Bundespräsidenten von Weizsäcker, große Teile der liberalen Öffentlichkeit und durch Angehörige der ermordeten Widerstandskämpfer in Schutz genommen. Noch ist allerdings nicht abzusehen, ob es den beiden für das nationale Widerstandsgedächtnis wichtigsten Erinnerungsorten, der Gedenkstätte und dem 20. Juli als Gedenktag gelingen wird, ein Widerstandsbild gesamtgesellschaftlich plausibel zu machen, das die Opposition gegen Hitler nicht halbiert, den Widerstand nicht auf den 20. Juli reduziert und darüber hinaus auch nach äußeren Zeitumständen und inneren Wandlungen fragt.

DER 8. MAI

Erlöst und vernichtet in einem

Hamburg, bei Kriegsende: Die Sirenen waren verstummt, vom Himmel fiel kein Feuer mehr, das Inferno der alles verzehrenden Brandbomben war vorüber, die Ruinenstadt wie ausgestorben. Friedhofsruhe lag über der Trümmerwüste. Es war ein für die Elbstadt ungewöhnlich warmer, sonniger Maientag. Aber die Menschen mußten zu Hause bleiben. Der britische Befehlshaber hatte ein Ausgehverbot verhängt. Am 3. Mai war die Stadt von den siegreichen Truppen besetzt worden.

Mochte auch das äußere Geschehen für alle Menschen gleichartig sein, so haben sie es doch – folgt man ihren früher oder später aufgezeichneten Erinnerungen – sehr unterschiedlich erlebt. Für die wenigen hundert noch in Hamburg lebenden jüdischen Frauen und Männer war dieser Frühsommertag ein Tag der Befreiung, vielleicht der Rettung. Für die politisch Verfolgten nicht weniger. Ein sozialdemokratischer Arbeiter berichtete, er habe bei geöffnetem Pappfenster auf seiner Mundharmonika den ‹Sozialistenmarsch› und ‹Brüder zur Sonne, zur Freiheit› gespielt. Andere hatten vor allem Angst vor der Zukunft, vor den Besatzern, fühlten sich, wie ein 19jähriger Soldat und Kriegsheimkehrer aus dem Osten, «wehrlos, entrechtet, unterworfen von Siegern, die kein Erbarmen kennen» werden, nach allem, «was Deutschland ihnen und der Welt angetan hat». Paul de Chapeaurouge, Notar, Bürgerschaftsabgeordneter, DVP-Mitglied, Anhänger Stresemanns und entschiedener Nazigegner, der Hamburg wenig später im Parlamentarischen Rat vertrat, sah angesichts eines «im tiefsten Grunde unsittlichen Systems» Deutschland durch ein «nationales Unglück

unabsehbaren Umfangs» getroffen. Andere dachten schon
darüber hinaus. Rudolf Petersen, Hamburgs erster, von den
Briten ernannter Bürgermeister, sah schon zwei Jahre nach
dem «Niederbruch» einen Gutteil der «Schuld ausgelöscht»
und hielt es für hoch an der Zeit, «die Vergangenheit zu vergessen» und an der «Zukunft des Abendlandes» zu bauen.
Die Stimmungslagen schwankten zwischen Erleichterung
und Leere, Unsicherheit und Melancholie, Zukunftsangst
und Zukunftshoffnung. Viele dürften so empfunden haben
wie Mathilde Mönckeberg, die in einem ihrer Briefe aus jenen Tagen schrieb: «Unsere Gefühle sind ganz zerrissen: Ge-
nugtuung auf der einen Seite, große Traurigkeit, die alles
überwiegt», auf der anderen.

Nicht nur in Hamburg, vielerorts konnte man diese allgemeine Stimmungsschwankung zwischen Schuldangst und
Schuldabwehr, zwischen schockartiger Erkenntnis des grau-
enhaften Geschehens und ihrer Verdrängung beobachten.
Kaum einer hat sie besser beschrieben als Karl Jaspers. Der
prominente, bei Siegern und Besiegten gleichermaßen angesehene Philosoph wußte, warum der Horizont seiner Landsleute «eng geworden» war. In seiner legendären Vorlesung
zur geistigen Situation in Deutschland im Winter 1945/46
sprach er aus, was andere dachten: «Man mag nicht hören
von Schuld, von Vergangenheit, man ist nicht betroffen von
der Weltgeschichte. Man will einfach aufhören zu leiden,
will heraus aus dem Elend, will leben (...), als ob man nach
so furchtbarem Leid gleichsam belohnt, jedenfalls getröstet
werden müßte, aber nicht noch mit Schuld beladen werden
dürfte.» So tröstlich und solidarisch das Philosophenwort
gemeint war, es ließ überhaupt keinen Zweifel daran, «daß
zur Not auch noch die Anklage kommt» und die Selbstprüfung sowieso.

Und er wies einen Weg, gab dem zwischen Akzeptanz und
Abwehr schwankenden Schuldbewußtsein seiner Landsleute
eine politisch pragmatische Perspektive – und den Siegern

zugleich einen Rat. Eine strafrechtliche Kollektivschuld an
den NS-Verbrechen ließ Jaspers nur für eine «kleine Minderheit» gelten. Damit war die Realität der Nürnberger Prozesse
und anderer alliierter Verfahren im wesentlichen sanktio-
niert. Eine «moralische Kollektivschuld», deren Instanz die
individuelle Selbstprüfung sei, erschien ihm jedoch ganz un-
strittig. Das zielte gegen die unpopuläre Entnazifizierung.
Nachdrücklich sprach er sich jedoch für die «politische Haf-
tung» jedes Deutschen aus: «Der Verbrecherstaat fällt dem
ganzen Volk zur Last», befand der Philosoph kategorisch. Politisch klüger konnte man den gesellschaftlichen Umgang mit
der Hypothek des NS-Regimes und des Krieges kaum denken. Aber selbst dieses pragmatische Modell hatte im begin-
nenden Prozeß des politischen Neuaufbaus wenig Chancen.

Der Sturz der Hitler-Diktatur war eben nicht durch die
Deutschen selbst, sondern von außen herbeigeführt worden.
Ein Volk muß aber, zumal nach einer langen Gewaltherrschaft, die alle Bürger in irgendeiner Weise kompromittiert
hat, seine Freiheit selbst erobern, wenn es denn mit sich ins
reine kommen will. So aber stand die Zeit nach 1945 nicht
nur im Schatten von Kriegszerstörung und Niederlage. Sie
war auch belastet mit der Verantwortung für ein Gewaltverbrechen von bisher unbekannter Art. Die «Vergangenheits-
bewältigung» erwies sich deshalb als so langwierig und so
umstritten, «weil mit den Mitteln des Rechtsstaates das Erbe
an Haß, Wut, Entrüstung und Verachtung nicht bewältigt
werden kann, das die Tyrannei materiell und psychisch hin-
terläßt» (Joseph Rovan). Hinzu kam, daß die Nachkriegszeit
auch noch unter alliierter Aufsicht stand und im Zeichen
von Souveränitätsverlust, Teilung, innerdeutschem System-
konflikt und Kaltem Krieg. Damit war ein umfassender
Selbstwertverlust verbunden. Andererseits ermöglichte der
unerwartete außenpolitische Rollentausch – vom Besiegten
zum alliierten Bündnispartner – eine unverhofft schnelle
Rehabilitierung. Dieser Dualismus hat den Neuanfang ent-

scheidend bestimmt und den 8. Mai als einen nationalen Erinnerungstag – bis heute nachwirkend – so schwierig und umstritten gemacht.

Konrad Adenauer, der Vorsitzende des Parlamentarischen Rates, suchte früh aus der politischen Not dieses Anfangs eine symbolische Tugend zu machen, als er sich nach den erfolgreichen Beratungen im Hauptausschuß bemühte, das Grundgesetz noch bis zum 8. Mai 1949 im Plenum zu verabschieden. Der Rat würde ja nicht «die Zehn Gebote» beschließen, drängte der rheinische Katholik scherzend seine Kollegen, sondern eine vorläufige Verfassung. Man müsse den westlichen Alliierten gegenüber den Willen zum Ausdruck bringen, daß sich das deutsche Volk eigenverantwortlich am politischen Wiederaufbau beteiligen wolle. Dafür sei der vierte Jahrestag der bedingungslosen Kapitulation ein besonders sinnfälliges Datum.

Nicht alle sahen das so. Theodor Heuss, wenig später erster Präsident der neuen Republik und in symbolisch-politischen Fragen des öfteren anderer Auffassung als Adenauer, betonte vor allem die konfliktträchtige Ambivalenz dieses Erinnerungstages und nahm damit zu erwartende zukünftige Schwierigkeiten vorweg. «Ich weiß nicht, ob man das Symbol greifen soll, das in solchem Tag liegen kann», erklärte er. «Im Grunde genommen bleibt dieser 8. Mai die tragischste und fragwürdigste Paradoxie der Geschichte für jeden von uns. Warum denn? Weil wir erlöst und vernichtet in einem gewesen sind.» So ist es kaum überraschend, daß sich die Nachkriegsgesellschaft mit diesem Datum schwergetan hat. Lange mochte sich das öffentliche Gedenken überhaupt nicht mit dieser Zäsur befassen. Es dauerte 25 Jahre, ehe sich eine Bundesregierung erstmals mit einer offiziellen Erklärung zum 8. Mai 1945 äußerte.

Das hat natürlich zunächst seinen Grund darin, daß die DDR früh den 8. Mai exklusiv für sich in Anspruch nahm und noch bis 1985 mit großem inszenatorischen Aufwand

den «Sieg der Sowjetunion über den Hitlerfaschismus und
die Befreiung des deutschen Volkes von der Naziherrschaft»
feierte. Zwar differenzierte sich das NS-Bild in den siebziger
Jahren, aber erst 1985 sprach ein führender Repräsentant der
DDR, der Volkskammerpräsident Horst Sindermann, bei
einer offiziellen Gedenkveranstaltung erstmals von den Millionen «Opfern des deutschen Volkes» und dem «barbari-
schen Antisemitismus». Bis dahin behielt der 8. Mai seine
überragende Bedeutung für die rituelle Bekräftigung ihres
antifaschistischen Gründungsmythos, auch volkspädago-
gisch. Die Erziehung zur Freundschaft mit der Sowjetunion
stand bei der Großveranstaltung am Ehrenmal im Treptower
Park für die «Helden des Großen Vaterländischen Krieges»
im Mittelpunkt. Den Willen zur Verteidigung der Heimat
stellten die Militärparaden und Ehrungen in der Neuen Wache, dem Mahnmal für die «Opfer des Faschismus und Mili-
tarismus», unter Beweis.

Daß die DDR diesen «Zwangsfeiertag» (Bernd Weisbrod)
Jahr für Jahr dazu nutzte, sich ebenso pompös wie verlogen
nicht nur als Sieger des Zweiten Weltkrieges, sondern als
Sieger der Geschichte überhaupt aufzuspielen, konnte die
Bundesrepublik kaum zu einer geschichtspolitischen Gegen-
offensive am gleichen Tag ermuntern. Soweit möglich, nutzte sie aktuelle Ereignisse, dieses Datum geschichtspolitisch
zu neutralisieren und positiv zu besetzen. Zehn Jahre nach
Kriegsende gab es dazu reichlich Gelegenheit. Zwischen dem
5. und dem 9. Mai 1955 wurde das Besatzungsstatut aufgehoben, die Bundesrepublik weitgehend souverän und zugleich in die westliche Verteidigungsgemeinschaft aufgenommen – ein Meilenstein auf dem langen Weg heraus aus
der Nachkriegszeit.

Der 150. Todestag Friedrich Schillers bot im gleichen Jahr
– politisch konfliktträchtigen – Anlaß, an das kulturnationa-
le Erbe zu erinnern. Denn längst war es zum Spielball des innerdeutschen Systemkonflikts geworden. Die Bundesregie-

rung konnte sich kaum einer gesamtdeutschen Schiller-Feier der DDR in Weimar anschließen. So blieb es Thomas Mann vorbehalten, ein Dilemma zu zelebrieren: das gesamtdeutsche Dichtererbe zu verdeutlichen, aber zugleich auch die Unmöglichkeit einer gesamtdeutschen Feier. Er hielt die gleiche Schillergedenkrede in Weimar und in Stuttgart, verwies beschwörend auf das große nationale Schillerfest 1859 und wußte doch, daß «das zweigeteilte Deutschland» sich angesichts der «Unnatur» der aktuellen politischen Verhältnisse kaum «eins in seinem Namen» fühlen konnte.

Nur mit ihrer eigenen Geschichte vermochte sich die Bundesrepublik gegenüber der DDR unanfechtbar zu machen, zumal dies eine Erfolgsgeschichte war. Und sie hatte eben nicht am 8. Mai 1945 begonnen, auch nicht am 8. bzw. 23. Mai 1949, sondern am 20. Juni 1948, dem Tag der Währungsreform, der Einführung der DM. Im Bewußtsein der Zeitgenossen war dies der eigentliche Beginn der Nachkriegszeit, des Wiederaufbaus, des «Wirtschaftswunders», mit einem Wort: der Anfang vom Mythos der Sozialen Marktwirtschaft.

Die DDR hatte aus dem *vae victis!* des 8. Mai durch die einerseits sinnstiftende und andererseits übersteigerte «Mythisierung des antifaschistischen Kampfes» das geschichtspolitische Kunststück fertiggebracht, mehr oder minder plausibel zu machen, daß «man gleichzeitig zu den Opfern und Siegern» gehören konnte, aber eben nicht «zu den Tätern und Verlierern» (Herfried Münkler) zählte. Diesen Part mußte zunächst der ungleiche Bruderstaat im Westen spielen, kurzzeitig zumindest. Denn auch der Bundesrepublik gelang es bald, angesichts der wirtschaftlichen Stabilität und Modernität einer prosperierenden Konsumgesellschaft, das Odium des Verlierers abzustreifen und das Bild der Zusammenbruchsgesellschaft vergessen zu machen. Der Aufstieg aus den Trümmern beruhte nicht allein, aber doch in hohem Maße auf eigener Leistung und der längst sprichwörtlichen deutschen Tüchtigkeit. Und mit der Sozialen Marktwirtschaft, die in der DM, im «Käfer» und – auch körperlich-habituell – in der Person Ludwig Erhards ihre Symbole fand, schien Deutschland geradezu «vor der Geschichte rehabilitiert» (Dieter Haselbach). Der überraschende Gewinn der Fußballweltmeisterschaft 1954, der «Tag von Bern», kam als sportliche Krönung des Wiederaufstiegs hinzu.

Die westdeutsche Gesellschaft präsentierte sich einer staunenden Weltöffentlichkeit aber nicht nur als Gewinner eines Neuanfangs und Wiederaufbaus, dessen Grund sie durch die Zerstörungen des Zweiten Weltkrieges selbst mit herbeigeführt hatte. Es gelang ihr auch, sich vom Makel des Täters zu befreien. Auch bei diesem Wandel kamen mehrere Faktoren zusammen.

Zwar hatten insbesondere die Nürnberger Prozesse der deutschen und internationalen Öffentlichkeit erstmals den rassenpolitisch-militärisch-industriellen Komplex der nationalsozialistischen Gewaltverbrechen mit der Ermordung der europäischen Juden als Kernelement vor Augen geführt. Aber die umfassenden Straftatermittlungen, differenzierten Verurteilungen hauptverantwortlicher Täter und eine kurzzeitige Selbstbefragung der Deutschen blieben angesichts neuer außenpolitischer Optionen ohne unmittelbare Nachhaltigkeit. Kalter Krieg und Antikommunismus, Westintegration und Wiederbewaffnung ermöglichten der Bundesrepublik einen unerwarteten und innenpolitisch auch nicht unumstrittenen, äußeren Identitätswechsel: vom Kriegsgegner und Verbrecherstaat zum umworbenen Bündnispartner und unentbehrlichen Frontstaat.

Durch Umdeutungen der eigenen Geschichte und Entwirklichung der nationalsozialistischen «Volksgemeinschaft» aus den Erfahrungen des bitteren Kriegsendes hatte sich das Selbstbildnis zuvor bereits vom Erschrecken über das Grauen gelöst. Unter der Erfahrung von Kriegsniederlage, Zerstörung, Flucht und Vertreibung, der vielfach als un-

gerecht empfunden Entnazifizierung sahen sich viele
Deutsche inzwischen selbst als Verfolgte, als Opfer.

Ein drittes Element kam hinzu, das in der Öffentlichkeit
im allgemeinen wenig beachtet wird: die für die öffentliche
Bewußtseinsbildung fatale Gleichsetzung von Kriegs- und
Zivilisationsverbrechen. Das Londoner Gerichtsstatut, unter
schwierigen Kompromissen der Alliierten zustande gekommen, hatte dem Nürnberger Gericht Beschränkungen auf-
erlegt: Es war nur für Menschlichkeitsverbrechen im Zusammenhang mit Kriegshandlungen zuständig. Zwischen
Kriegsverbrechen und Menschlichkeitsverbrechen wurde
insofern bald kaum noch unterschieden. Als Anfang der
1950er Jahre die ersten als Kriegsverbrecher verurteilten
Massenmörder begnadigt wurden, galten sie vielfach nur
noch als «Kriegsverurteilte», manchem schon als «Opfer der
alliierten Militärgerichte». Daß in den alliierten Militärge-
fängnissen hohe Wehrmachtsoffiziere saßen, war unter den
neuen Bündnispartnern eine schwer erträgliche Vorstellung.
In den 1970er Jahren hat Sebastian Haffner noch einmal
daran erinnert, daß es ein «Fehler der Siegermächte» gewesen sei, «Hitlers Massenmorde» und die Kriegsverbrechen
«in einen Topf» zu werfen.

So geriet die Paradoxie der «bedingungslosen Kapitulation», von der Theodor Heuss im Gründungsjahr der Republik gesprochen hatte, nie ganz in Vergessenheit, auch wenn
sich die Deutschen in ihrer äußeren Identität vorteilhaft ge-
wandelt hatten und wenig an die Besiegten und die Täter
von einst erinnerte. Es war also nur eine Frage der Zeit und
der politischen Konstellation, daß der 8. Mai ins öffentliche
Geschichtsbewußtsein der Deutschen zurückkehren würde.

Noch 1965 mochte Ludwig Erhard (CDU) diesen «grauen
und trostlosen Tag» nicht zu einer offiziellen Gedenkveranstaltung machen. Wenige Tage vor Aufnahme diplomatischer
Beziehungen zu Israel solle besser Deutschlands Bedeutung
für den Frieden und die Zukunft Europas gewürdigt werden,

befand der Bundeskanzler. An einem Empfang, zu dem der sowjetische Botschafter aus Anlaß des «20. Jahrestages des vom sowjetischen Volk im Großen Vaterländischen Krieg 1941 bis 1945 errungenen Sieges» geladen hatte, beteiligte sich die Regierung nicht. Schüler protestierten vor der Botschaft mit Spruchbändern: «Befreier, wo ist eure Freiheit?» Und die NPD forderte auf ihrem ersten Parteitag die Rückgabe der deutschen Ostgebiete. So blieb es intellektuellen Sprechern und politischen Außenseitern wie dem Marburger Politikwissenschaftler Wolfgang Abendroth vorbehalten, den 8. Mai in seiner ganzen Ambivalenz zu würdigen.

Aus Anlaß des 25. Jahrestages kam der Bundestag im Mai 1970 zu einer Sondersitzung zusammen. Bundeskanzler Willy Brandt warb für eine Aussöhnung mit dem Osten und den Opfern. Daß durch den Kanzler der sozialliberalen Koalition erstmals eine Bundesregierung im Deutschen Bundestag offiziell zum Ende des Zweiten Weltkrieges Stellung nahm, fand insbesondere bei den alliierten Siegermächten viel Beifall. Bei der Opposition war er geteilt. «Niederlagen feiert man nicht», hieß es in den Reihen der Abgeordneten, und: «Schuld und Schande» verdienten keine Würdigung.

Fünf Jahre später gab es nur eine kleine Feier in der Schloßkirche der Bonner Universität. Die Rede von Bundespräsident Walter Scheel hätte einen größeren Rahmen verdient gehabt. Er würdigte den 8. Mai als wiederholten «Augenblick der Selbstprüfung»; ausdrücklich ging er auf die Jahre zwischen 1933 und 1945 ein. Hitler sei «kein unentrinnbares Schicksal» gewesen, erklärte er, «er wurde gewählt». Auch den Judenmord und die Schuldfrage ließ der Bundespräsident nicht aus: «Wir nahmen es hin, daß unser Recht, das Recht unseres Nächsten (…) mit Füßen getreten wurde. In unserem Namen geschah millionenfacher Mord.» Das war neu und setzte Maßstäbe für zukünftige Veranstaltungen.

Daß der 40. Jahrestag des Kriegsendes sich als ein «sperriger Gedenktag» (*Die Zeit*) erweisen würde, war zunächst nicht absehbar. Der französische Staatspräsident hatte versprochen, alles zu unterlassen, was «die Seelen und Herzen» der deutschen Freunde kränken könnte. Auch die englische Premierministerin versprach Zurückhaltung. Die Bundesregierung dachte anfangs an eine eher bescheidene und schlichte Feier. Im Anschluß an den Bonner Weltwirtschaftsgipfel sollte ein ökumenischer Gottesdienst im Kölner Dom stattfinden, was allerdings bei führenden Vertretern der Evangelischen Kirche Deutschlands wenig Gegenliebe fand. Wieder einmal war schon die Wahl eines angemessenen und allseits zustimmungsfähigen Gedenkortes ein Problem, zumal der Kanzler zur Feier der Alliierten in der Normandie nicht eingeladen worden war. Dort wollten die einstigen Verbündeten und Sieger des Zweiten Weltkrieges unter sich bleiben.

Als Kohl Ende 1984 in Washington weilte, um Ronald Reagan zu dessen Wiederwahl zu gratulieren, äußerte der Kanzler den Wunsch, im Mai 1985 zwischen den Amerikanern und den Deutschen «über Gräber hinweg eine Geste für Frieden und Versöhnung zu finden». Diese geschichtspolitische Offensive, die darauf zielte, die durch Nationalsozialismus, Weltkrieg und Gewaltverbrechen begründete internationale Sondersituation Deutschlands zu normalisieren, stand im außenpolitischen Kontext des Einmarsches der Russen in Afghanistan und der Raketen-Nachrüstung, bei der die Bundesregierung die USA nachdrücklich unterstützte.

Die Amerikaner hatten zunächst daran gedacht, daß der Präsident eine KZ-Gedenkstätte besuchen sollte. Als bekannt wurde, daß Reagan statt dessen auf deutschen Wunsch einen Besuch auf dem Soldatenfriedhof Bitburg plane, und auf diesem nicht nur amerikanische und deutsche Wehrmachtssoldaten begraben sind, sondern auch Angehörige der Waffen-SS, brach weltweit ein Proteststurm los. Elie Wiesel, Auschwitz-Überlebender, Schriftsteller, Nobelpreisträger, forderte Reagan vor laufender Kamera im Weißen Haus auf, den Bitburg-Besuch abzusagen. Eine Mehrheit der Senatoren schloß sich an, auch Hunderte Kongreß-Abgeordnete protestierten. Die massive Intervention zeigte nur insofern Wirkung, daß von deutscher Seite vorgeschlagen wurde, den Präsidenten-Besuch in Bitburg um einen Besuch der KZ-Gedenkstätte Bergen-Belsen zu ergänzen.

Auch in der Bundesrepublik sorgte der Reagan-Besuch und das Verhalten der Kohl-Regierung für eine anhaltend hochkontroverse Stimmung. In den eigenen Reihen und in der öffentlichen Meinung konnte der Bundeskanzler allerdings mit viel Zustimmung rechnen. Die Demoskopen ermittelten, daß ein Großteil der vor 1933 geborenen Deutschen das Kriegsende als «Jahr des Zusammenbruchs» begreifen und fast 70 Prozent der Bundesbürger in dem geplanten deutsch-amerikanischen Versöhnungszeremoniell ein «schönes Zeichen» sehen würden.

Dieses Zeremoniell, das alle toten Weltkriegssoldaten unterschiedslos einschließen wollte, erfuhr durch die inzwischen berühmte Rede des Bundespräsidenten zum 8. Mai eine gleichsam indirekte Kritik. Die Gesellschaft konnte durch die Rede von Weizsäckers lernen, daß die Anerkennung historischer Komplexität notwendig und dem Verlangen nach sozialer Integration wie auch nach einem allgemeinen Totengedenken angesichts der erheblichen Differenzen zwischen den gewaltsam Gestorbenen – Verfolgten und Tätern – Grenzen gesetzt sind. Zugleich nahm aber das präsidiale Differenzierungsplädoyer Rücksicht auf fortbestehende Tabus. Von Weizsäcker bekräftigte, was die Deutschen seit Adenauer immer wieder beruhigt hatte, daß die Ausführung des Verbrechens in der Hand weniger lag. Auch sprach er vom «menschenverachtenden System» des NS-Regimes, vom «Faszinosum Hitler» sprach er nicht. Das tat drei Jahre später Philipp Jenninger, an einem dafür geschichtspolitisch heiklen, weil ganz den Opfern gewidmeten Tag, dem 9. November.

Als sich 1995 das Kriegsende zum 50. Male jährte, schien sich die Erinnerungslast im Umgang mit dem 8. Mai vielerorts in eine Erinnerungslust zu verwandeln. Jedenfalls wurde das Gedenken sehr professionell inszeniert: im Winter und Frühjahr der 50. Jahrestag der Lagerbefreiungen von Auschwitz bis Ravensbrück. Die Veranstaltungen gerieten mancherorts zu Freundschafts- und Versöhnungskundgebungen, während zur selben Zeit anderswo ziemlich unversöhnlich über die Entschädigung von Zwangsarbeitern und der noch lebenden KZ-Opfer in den baltischen Staaten gestritten wurde. Im Februar stellte ein Gedenkakt in Dresden die deutschen Bombenopfer in den Mittelpunkt eines internationalen Versöhnungsfestes. Der Bundespräsident abstrahierte in seiner Rede die Vorgeschichte des Bombenkrieges, verallgemeinerte ihn zum Krieg «als solchen» und machte Dresden zum Symbol der «Sinnlosigkeit moderner Kriege» schlechthin. Mehrfach warnte Roman Herzog vor einer «Aufrechnung» der Opfer. Aber er tat das so oft, daß man glauben konnte, er wollte zumindest für ihre Gleichstellung werben.

Auch die Bundesbürger präsentierten sich vorbildlich. Die Demoskopen verkündeten stolz, daß achtzig Prozent der Deutschen den 8. Mai inzwischen als «Tag der Befreiung» empfinden würden. Von «Befreiung» war in diesem Jahr so oft die Rede, daß man von außen den Eindruck gewinnen konnte, die Deutschen seien – so der Schweizer Historiker Jörg Fisch – «in ihrer übergroßen Mehrheit nicht Täter, sondern Opfer» gewesen. So viel Befreiungskonsens rief die Nationalkonservativen auf den Plan. In einem Aufruf «8. Mai 1945 – Gegen das Vergessen» forderten der CDU-Politiker Alfred Dregger und der Publizist Rainer Zitelmann, es müsse daran erinnert werden, daß der 8. Mai «den Beginn von Vertreibung und neuer Unterdrückung im Osten und den Beginn der Teilung unseres Landes» bedeute.

Fünfzig Jahre nachdem Theodor Heuss von der Paradoxie

des 8. Mai gesprochen hatte, schienen die großenteils nach Kriegsende geborenen Bundesbürger weiterhin nicht willens zu sein, das Widersinnige dieser Zäsur anzunehmen und auszuhalten. Einmal mehr bemühten sie sich, die widerstreitenden Bedeutungen gegeneinander auszuspielen, statt sie aufeinander zu beziehen. Politisch korrekt sprach die Mehrheit von «Befreiung» und eine Minderheit – politisch weniger korrekt – von dem Beginn neuen Unrechts.

DER 9. NOVEMBER

Triumph und Trauer?

Nachdem im Großgedenkjahr 1995 die Erinnerung an das Kriegsende und die Lagerbefreiungen so sehr im Vordergrund gestanden hatte, erschien es nur konsequent, den 27. Januar, die Öffnung des Lagers Auschwitz, als einen neuen Jahrestag einzuführen. Bundespräsident Roman Herzog tat dies am 3. Januar 1996 per Proklamation im Bundesgesetzblatt. Dieser Erinnerungstag trägt den Titel «Tag des Gedenkens an die Opfer des Nationalsozialismus» und besitzt damit den formal höchsten Rang aller auf die NS-Zeit bezogenen Jahrestage (8. Mai, 20. Juli und 9. November). Zudem steht er im Zusammenhang einer Europäisierung des Genozid-Gedenkens. Mehrere europäische Länder haben inzwischen auf Empfehlung des Europäischen Parlaments den 27. Januar als nationalen *Holocaust Memorial Day* eingeführt. Auch in der Bundesrepublik war die Perspektive einer Europäisierung der Erinnerungskulturen maßgeblich. Zunächst hatte sich dafür der Sprecher der deutschen Juden, Ignatz Bubis, stark gemacht. Ihm schien das «europäische Datum» des 27. Januar sehr viel geeigneter als das «deutsche Datum» des 9. November, das er wegen der historischen Bedeutungsvielfalt dieses Jahrestages für bedenklich hielt. Die Bundestagsfraktionen sind dieser Sicht in ihrem Beschluß im Sommer 1995 gefolgt.

Bedenken, daß sich Deutschland als das Land, aus dem die Täter kamen, nicht umstandslos auf das Datum der Auschwitz-Befreiung berufen kann, weil es den Befreiern und Überlebenden ‹gehört›, verfingen nicht. Für die Siegerstaaten des Zweiten Weltkrieges ist das Kriegsende das ungleich bedeutsamere Datum. Und die überlebenden Juden haben

sich schon früh für einen anderen Feier- und Gedenktag entschieden. Es ist der Jom HaShoa (27. Nissan), der in jener
Zeitspanne zwischen Ende April und Anfang Mai liegt, in
der in den vergangenen Jahrhunderten viele Massaker an
den europäischen Juden stattgefunden haben. Und in der
Nacht auf Pessach, am 19. 4. 1943, begann der Aufstand der
Juden im Warschauer Ghetto, die sich in einem aussichtslo-
sen Kampf gegen eine erdrückende SS-Übermacht mehrere
Wochen behaupten konnten. Somit gab Israel dem Shoa-Ge-
denktag früh die Doppelbedeutung von Katastrophe und
heldenhaftem Widerstand bzw. Wiedergeburt. Hinter diesem ambivalenten Bild von den aktiv-kämpferisch Überwäl-
tigten bleibt der 27. Januar, der die verfolgten Juden auf passive und von außen befreite Opfer reduziert, weit zurück.

Hinzu kommt, daß dieses Datum unweigerlich mit einem
anderen konkurrieren muß, dem 9. November, dem Tag der
Reichspogromnacht am Vorabend des Zweiten Weltkrieges.
Immerhin hat sich dieser «Tag der Trauer» (Harald Schmid)
über mehrere Jahrzehnte als nationaler Erinnerungstag für
die Judenverfolgung im Kalendergedächtnis der Bundesrepublik fest etabliert. In der frühen Nachkriegszeit waren es in
Ost- und Westdeutschland vor allem die Opferverbände des
Faschismus, insbesondere die Vereinigung der Verfolgten des
Naziregimes (VVN) und die wenigen jüdischen Gemeinden,
die an die Pogrome erinnerten. Später übernahmen diese
Aufgabe die auf Veranlassung der US-Besatzungsmacht ins
Leben gerufenen Gesellschaften für christlich-jüdische Zu-
sammenarbeit. Diese Aktivitäten haben der späteren Erinnerungskultur eine lokale Basis gegeben, aus denen die früh be-
gonnenen Veranstaltungen der DGB-Jugend in Dachau und
der Jüdischen Gemeinde in West-Berlin herausragen.

Der zwanzigste Jahrestag gilt als ein Durchbruch auf dem
Weg der Institutionalisierung dieses Gedenktages. Zahlreiche
Ereignisse, Skandale und Kontroversen der 1950er Jahre ha-
ben dazu beigetragen – antisemitische und neonazistische

Vorfälle, das Verbot der altnazistischen Sozialistischen Reichspartei, die vielen Schändungen jüdischer Friedhöfe, der Streit um Rückerstattung und Wiedergutmachung, der Fall Harlan-Lüth, der bis zum Bundesverfassungsgericht und zu einem für die junge Republik grundlegenden Urteil zur Meinungsfreiheit führte, das spektakuläre Medienereignis der Veröffentlichung und Verfilmung des Anne Frank-Tagebuchs, der Ulmer Einsatzgruppenprozeß, die Einrichtung der Ludwigsburger Zentralen Stelle zur Aufklärung von nationalsozialistischen Gewaltverbrechen, und nicht zuletzt die Hakenkreuzschmiereien an der kurz zuvor von Konrad Adenauer eingeweihten Kölner Synagoge am Heiligabend 1959. Am Ende dieses vergangenheits- und erinnerungspolitisch bewegten Jahrzehnts war das öffentliche Bewußtsein und das der politischen Klasse sensibilisiert und aufgeschlossen für Fragen des Antisemitismus, des deutsch-israelischen Verhältnisses und der Jüdischen Gemeinde in Deutschland.

Erstmals wurde der 9. November als ein überregionaler, landesweiter Gedenktag wahrgenommen und begangen, in allen Großstädten, teilweise mit mehreren Veranstaltungen. Erstmals nahmen auch der Bundeskanzler und der Bundespräsident Stellung – nicht in Reden vor dem Parlament, aber in Briefen an den Zentralrat der Juden in Deutschland. Das Leiden der jüdischen Opfer stand in diesen Grußbotschaften im Mittelpunkt, die Solidarität mit den Überlebenden und ihrer Trauer. Der historische Zusammenhang, Vor- und Nachgeschichte des Novemberpogroms, Diskriminierung, Entrechtung und Enteignung der Juden bis hin zum Weltanschauungs- und Vernichtungskrieg gegen den jüdischen Bolschewismus kamen darin allerdings noch nicht vor. Zumal es weniger um die Vergangenheit als vielmehr um die Gegenwart ging, was in den beruhigenden Hinweisen auf Wiedergutmachung, Wiederaufbau und Neuaufbau jüdischer Gemeinden zum Ausdruck kam. Die Reichspogromnacht blieb ein weitgehend isoliertes Ereignis.

Zehn Jahre später, Große Koalition, APO und Studenten-
revolte dominierten die innenpolitische Szenerie, fiel der
30. Jahrestag des Novemberpogroms mit dem 50. Jahrestag
der Kriegsniederlage und der Revolution von 1918 zusammen. Die ältere Generation interessierte sich vor allem für
die Kaiserabdankung und die Kriegsschuldfrage, die rebellie-
renden Jungen ereiferten und erwärmten sich für Rosa Luxemburg und Karl Liebknecht. Zur Intensivierung der öffentlichen Auseinandersetzung mit der Judenverfolgung hat
die Studentenbewegung wenig beigetragen. Das Interesse
der ‹zweiten Generation› an der NS-Vergangenheit äußerte
sich im Aufstand gegen die Nazi-Väter und in einer theore-
tischen Kapitalismuskritik.

Neue Akzente setzten in den siebziger Jahren die geschichtspolitischen Aktivitäten führender sozialdemokratischer Politiker mit Auschwitz- und Israel-Besuchen, der
Majdanek-Prozeß, die Auseinandersetzung um nationalsozialistisch vorbelastete Spitzenpolitiker. Hinzu kamen neue
Initiativen und Formen der Auseinandersetzung mit der Geschichte der Verfolgten und der Verfolgungsorte durch Bür-
gerinitiativen, lokale Geschichtsvereine, Schülergruppen
usw. Davon hat der 40. Jahrestag, dessen zentrale Gedenkveranstaltung in der Kölner Synagoge stattfand, nicht wenig
profitiert. Führende Vertreter des Staates, der Kirchen sowie
des nationalen und internationalen Judentums waren anwesend. Von der Gedenkrede, die Bundeskanzler Helmut
Schmidt hielt, wurden in der öffentlichen Berichterstattung
vor allem das Bekenntnis des Kanzlers zur «politischen Erb-
schaft der Schuld» und seine Bitte «um Versöhnung» hervorgehoben.

An ihrem 50. Jahrestag wurde aus der Reichspogromnacht
ein deutscher Gedenktag – mit Hilfe eines politischen Skan-
dals, der auch international stark beachtet wurde, dem Fall
des Philipp Jenninger, der in Wahrheit ein geschichtspolitischer Skandal der Republik war. Der Bundestagspräsident

hatte in der offiziellen Feierstunde des Deutschen Bundestages etwas getan, was man nicht von ihm, nicht an diesem Tag, der nach bisheriger Gedenktagspraxis den Opfern gewidmet war, und vielleicht überhaupt nicht erwartet hatte. Der zweithöchste Repräsentant des Staates brach ein Tabu, indem er die Nachkommen der ‹Tätergesellschaft› mit einer historischen Wahrheit konfrontierte. Die Opfer, so Jenninger, wüßten seit langem, was der 9. November für ihren weiteren Leidensweg bedeutet habe, aber: «wissen auch wir es?» fragte er, um sich sodann den «staunenerregenden Erfolgen Hitlers» zuzuwenden und dem «Faszinosum» seines «politischen Triumphzuges». Er sprach von Hitlers «Haß auf die Juden», dem Einverständnis nicht weniger Deutscher mit einer juristischen Lösung der ‹Judenfrage›, der «Blindheit und Herzenskälte» vieler und schließlich auch von Himmlers berühmt-berüchtigter Posener Rede im Herbst 1943, in der dieser die SS dafür gelobt hatte, daß sie sich bei der «Ausrottung der Juden», von «Ausnahmen menschlicher Schwäche» abgesehen, im wesentlichen «anständig» verhalten habe. Noch während Jenningers Rede verließen Abgeordnete das Plenum, und noch am gleichen Tag wurde er zum Rücktritt gezwungen. Anderntags zollte ihm die internationale Presse Anerkennung und Respekt. «Denounced for the truth», schrieb die *London Times* zu einer der wohl schwärzesten Stunden des deutschen Nachkriegsparlamentarismus.

Es gehört zur Ironie der Geschichte, daß ausgerechnet die DDR, die den «9. November» über lange Jahre nur geduldet hatte, diesem «deutschen Schicksalstag» mit ihrem Abschied von der deutschen Geschichte eine neue Bedeutung hinzufügte: In den Abendstunden des 9. November 1989 fiel die Berliner Mauer – damals wohl für die meisten Deutschen «der schönste Tag in der neueren deutschen Geschichte» (Wilhelm Hennis).

Schon bald begann eine Debatte darüber, ob man diesen

Berlin, 9. 11. 1989, Brandenburger Tor

Tag der Schuld und des Stolzes, der Trauer und des Triumphes nicht zum neuen, nun gesamtdeutschen Nationalfeiertag machen sollte. Hielten die einen den 9. November wegen seiner unvereinbaren Bedeutungselemente für untauglich, erschien diese Perspektivvielfalt anderen ebenso reizvoll wie herausfordernd für das öffentliche Geschichtsbewußtsein, wenn auch nicht ohne Risiko. Immerhin verbinden sich mit dem 9. November neben dem Mauerfall mehrere Ereignisse: Die Ermordung Robert Blums am 9. 11. 1848, das Ende des wilhelminischen Kaiserreichs 1918, mit Kriegsniederlage,

Kaiserabdankung, Revolutionsbeginn, Hitlers gescheiterter Versuch 1923 in München, die «Revolution der Novemberverbrecher» faktisch wie symbolisch rückgängig zu machen; die Reichspogromnacht 1938, bei der es Hunderte von Todesopfern gab, etwa 30 000 jüdische Deutsche in Konzentrationslager gebracht und Tausende jüdische Geschäfte zerstört wurden; das gescheiterte Hitler-Attentat von Johann Georg Elser vom 8. November 1939, das allerdings in einem unmittelbaren Zusammenhang mit dem 9. November steht und deshalb so unpopulär und unbekannt geblieben ist, weil es zeigt, daß ein einzelner Mensch, ohne organisatorischen Rückhalt, «dem kollektiven Selbstbetrug und Faszinationswahn» (Peter Steinbach) seiner Zeit widerstehen konnte.

Gewiß, wie kein anderer Jahrestag könnte der 9. November die Chance bieten zur öffentlichen Selbstverständigung der Deutschen über ihre Herkunft aus zwei halben Revolutionen, zwei Weltkriegen, aus Systembrüchen, Besetzung, Teilung und Wiedervereinigung. Das nationale Gedächtnis hätte einen Leitfaden, das jährliche Gedenkritual einen gedanklichen Zusammenhalt. Wir könnten und müßten über Höhen und Tiefen unserer Geschichte reden, über Brüche und Widersprüche, über das «Jahrhundert der Deutschen» (Christian Graf v. Krockow) im Zusammenhang. Aber schnell wurde diese Idee und damit auch die anfängliche Absicht, den 9. November zum neuen Tag der deutschen Einheit zu machen, fallengelassen. Die verständliche Sorge, daß es dabei immer wieder zu Peinlichkeiten und Skandalen kommen könnte, überwog.

Für den neuen Nationalfeiertag waren bedauerlicherweise keine geschichtspolitischen Überlegungen maßgeblich. Terminnöte und pragmatische Aspekte im Ablauf der Beratungen und Beschlußfassung des Einigungsvertrages entschieden darüber. Am 23. August beschloß die letzte und einzig frei gewählte Volkskammer den Beitritt der DDR zum Geltungsbereich des Grundgesetzes der Bundesrepublik Deutsch-

land nach Art. 23 GG – mit Wirkung vom 3. Oktober 1990.
Der neue Tag der deutschen Einheit ist so blaß, so emotions-
los geblieben, wie es Vertragsunterzeichnungen und Akte
notarieller Beglaubigung nun einmal sind.

Man wird das auch deshalb bedauern, weil mit ihm der
17. Juni als «Symbol der deutschen Einheit in Freiheit» still-
schweigend abgelöst wurde. Er hätte mehr verdient gehabt,
gerade jetzt. Es bleibt erstaunlich, daß man so sorglos, so geschichtsvergessen mit ihm und einem Kernstück deutsch-
deutscher Tradition umgegangen ist. Und offenbar ohne
Sinn für den großen Verschleiß an Jahrestagen in der Geschichte deutscher Nationalsymbole. Kaum denkbar, daß die
Franzosen ihren 14. Juli, die Polen ihren 3. Mai oder die
Schweizer ihren 1. August so leichtfertig preisgeben würden. Dabei konnte kein Zweifel mehr bestehen, daß der
17. Juni, der erste Aufstand in der Reihe der vielen Erschüt-
terungen und Verwerfungen Ost- und Ostmitteleuropas,
längst zu «einem großen Ereignis deutscher Geschichte»
(Wolfgang Schuller) aufgestiegen war.

Rita Süssmuth (CDU), die Bundestagspräsidentin, bewies
dafür viel Gespür, als sie am 17. Juni 1992 vor dem Bundestag erklärte: «Der Aufstand von 1953 wurde niedergeschlagen, nicht aber der Freiheitswille in West und Ost. Die
Flucht in die Freiheit konnte weder durch Mauer noch Sta-
cheldraht beendet werden. Der Wille zur Freiheit war unbe-
zwingbar und setzte sich 1989 durch. Der Trauer folgte die
Freude. Der Unterdrückung und Teilung folgten Freiheit
und Einheit.»

Es hätte dem Westen gut angestanden, den 17. Juni dem
Osten zurückzugeben, zumal ihn die um einen nationalen
Feiertag mit positiver Sinnstiftung so sehr verlegenen Bundesbürger sich erst angeeignet und dann nicht in Ehren gehalten haben. Und es hätte dem Osten gut zu Gesicht gestanden, die symbolische Entwendung ihres Aufstands vom
Westen zurückzufordern und den ‹Brüdern und Schwestern›

selbst- und geschichtsbewußt zu sagen: Wir sind – und wir waren das Volk! Denn dieser Tag erzählt eine andere Geschichte als die von der verächtlich kolportierten Kleinbürgeridylle mit Trabi und Spreewaldgurken, Stasi-Überwachung, Denunziation und Anpassung. Er erzählt von Zivilcourage und Freiheitssinn.

II. DENKMÄLER UND STAATSBAUTEN

DAS BRANDENBURGER TOR

Deutschlands nationales Logo

Deutschlands bekanntestes Denkmal wird im allgemeinen und weltweit als Symbol für die staatliche Teilung und ihre Überwindung angesehen. Von seiner ursprünglichen Bedeutung ist es eines der Selbstbefreiung, der Erhebung gegen äußere Unterdrückung. Am Anfang seiner Geschichte stehen die demütigende Niederlage durch Frankreich und der Sieg über den ‹Erbfeind›. Es ist insofern auch ein Symbol jenes deutschen Freiheitsbegriffs, der durch die äußere, militärische Abwehr der französischen Fremdherrschaft geprägt wurde und nicht durch eine revolutionäre Eroberung der inneren, konstitutionell und rechtsstaatlich begründeten Freiheit einer Gesellschaft bürgerlicher Individuen.

Das 1789 errichtete Brandenburger Tor war anfangs ein städtischer Funktionsbau und ein monarchisches Ehrenmal. Erst fünfundzwanzig Jahre nach seiner Fertigstellung wurde es preußisch-deutsches Befreiungsdenkmal. Es hat im allgemeinen Geschichtsbewußtsein diesen speziellen Bezug auf 1806/1814 längst wieder abgestreift, weil es die gesamte deutsche Geschichte der letzten zweihundert Jahre in sich aufgenommen hat: nach der Erhebung gegen das napoleonische Frankreich die Reichseinigungskriege, dann die beiden Weltkriege, Revolution und Gegenrevolution, schließlich die Zerstörung Berlins, Teilung und Vereinigung. Für die Zeit des Kalten Krieges war das zugemauerte Tor Inbegriff der geteilten Stadt und darüber hinaus die Ikone der bipolaren Welt des Ost-West-Konflikts. Es ist damit zu dem deutschen Nationaldenkmal überhaupt geworden.

Sein Auftraggeber, Friedrich Wilhelm II., und seine Er-

Einzug Napoleons in Berlin durch das
Brandenburger Tor am 27. 10. 1806. Zeitgenössische Kreidezeich-
nung von Ludwig Wolf.

bauer, Carl Gotthard Langhans und Johann Gottfried Schadow voran, konnten weder ahnen, daß dieses Tor einmal in
der Mitte der späteren deutschen Hauptstadt stehen, noch
daß es später zum nationalen Symbol avancieren und
schließlich so etwas wie das Logo Deutschlands darstellen
würde. Aber sie haben doch manche Voraussetzung dafür
geschaffen. Es war ein Bauwerk auf der Grenze. Und das in
doppelter, raum-zeitlicher Hinsicht: als Stadttor ein Bauwerk der Öffnung und Schließung, und ästhetisch-politisch
gesehen ein Bauwerk des Übergangs, zwischen *Ancien régime* und Revolution. Als es errichtet wurde, war an der westlichen Seite noch der Stadtrand. Ungefähr auf der Linie der
späteren DDR-Grenzmauer verlief die in den 1730er Jahren
erneuerte Stadt- und Akzisemauer. Sie wurde nicht mehr
wie im Mittelalter für die Verteidigung gebraucht, wohl
aber für die polizeiliche Kontrolle und den Stadtzoll. Durch
das Brandenburger Tor liefen die von der Schloßbrücke aus-

gehenden Linden über den zunächst Quarée genannten späteren Pariser Platz weiter als gerade Landstraße durch den Tiergarten nach dem alten Brandenburg.

Friedrich Wilhelm II. beauftragte seinen Stadtbaumeister Langhans, ein neues Tor zu bauen. Es sollte zum einen die «großen und schönen Partien der Stadt» zum Abschluß bringen. Zugleich wünschte der König, daß dem «Thor soviel möglich freye Öffnung und viel Durchsicht gegeben werde». Und sein Architekt schwärmte: «Die Lage des Thores ist in ihrer Art ohnstreitig die schönste von der ganzen Welt», und er gedenke, «hiervon gehörig Vorteile zu ziehen und dem Thore so viel Oefnung zu geben, als möglich ist.» Damit wurde etwas grundlegend Neues eingeleitet. Das von Langhans gebaute Tor unterscheidet sich deutlich von anderen zur gleichen Zeit gebauten Stadttoren, die noch ganz dem spätbarocken Stil verpflichtet sind: römische Triumphalarchitektur mit dem Pathos der Festungsform, mit Bogen und Rustikaquaderung, Trophäen und Obelisk, wie z. B. bei dem 1788 von Gontard errichteten Oranienburger Tor.

Das Brandenburger Tor hingegen, das man immer wieder als «atheniensisch» empfunden und gelobt hat, begnügt sich mit einfachen Linien und rechtwinkligen Formen bzw. Grundrissen. Alles scheint aufeinander bezogen und doch nebeneinander gesetzt. Kein massiver Baukörper wächst mit einschüchternder, monumentaler Gebärde aus der Stadtmauer. Es ist eine vielteilige Gesamtkomposition, eine transparente Raumkonstruktion mit selbständigen Flügelbauten, Toröffnungen und Durchblicken. Das Vorbild wird in der griechischen, am Tempelbau entwickelten Architektur gesehen, wie sie durch Winkelmann wiederentdeckt worden war. Nicht von ungefähr rückten die Propyläen als Vorbild ins Blickfeld. Sie waren das Vortor der Akropolis, der Zugang zum geweihten Bezirk hellenischer, musischer Geistigkeit. Allerdings zeigt das Brandenburger Tor gegenüber seiner antiken Inspiration eine eigenständige Weiterführung.

Auch die Quadriga mit Siegesgöttin weist charakteristi-
sche Abwandlungen auf. Den Auftrag erhielt Johann Gottfried Schadow, seit 1788 Leiter der Hofbildhauerwerkstatt
und seit 1816 Direktor der Akademie der Künste. Das
schwierigste Detail war die weibliche Friedensallegorie.
Schadow hat sich nicht für die griechische Variante, die Eire-
ne, Mutter mit Kind, sondern für die römische Victoria entschieden, die geflügelte Siegesgöttin mit Siegeskranz. Er
wollte ihr aber augenscheinlich keine kämpferisch-bewegte
Haltung geben und beließ sie in Ruhestellung, was sie zu
den gleichsam in die Stadt galoppierenden Pferden in ein
spannungsreiches Verhältnis bringt.

Besondere, oft auch kontroverse Beachtung hat das Siegeszeichen gefunden, das die Victoria trägt. Schadow tat sich
schwer damit und änderte das Panier mehrfach. Nach 1806,
nach dem Raub der Quadriga durch Napoleon, trug das Tor
acht Jahre keine Krone. Schinkel war es dann, der vom König
den Auftrag erhielt, der Figur etwas in die Hand zu geben,
das auf die Zeitereignisse Bezug nimmt. Für Verdienste um
das Vaterland im Kampf gegen Frankreich hatte Friedrich
Wilhelm III. das von Schinkel entworfene Eiserne Kreuz*
gestiftet. Es war die erste militärische Auszeichnung, die un-
abhängig von militärischem Rang und sozialem Stand verliehen wurde. Als Vorbild diente das von den Deutschen Or-
densrittern getragene schwarze Kreuz auf weißem Grund.
Das ‹Panier Preußen› integriert drei durchaus widerstreiten-
de Bedeutungselemente: den bekrönten Adler als monarchisches Symbol, das bürgerlich-egalitäre Element im Eisernen
Kreuz, und im Eichenkranz den Bezug auf die deutsch-ger-
manische Nation.

Damit war der Quadriga mit ihren mehrdeutigen, grie-
chisch-römischen Bezügen nun eine sehr preußische und
zeitbezogene Botschaft gegeben: Die Friedensbringerin hatte
sich verwandelt in die Verkünderin des Sieges nach einer allgemeinen Volkserhebung, nach der Befreiung von einem

Aggressor. Der Verzicht auf die vielschichtige Friedensidee zugunsten eines preußischen Siegessymbols mochte einerseits für Klarheit in der Aussage des Kunstwerkes sorgen. Andererseits hat dies immer wieder auch Irritationen ausgelöst. Zumal das Eiserne Kreuz ja nicht nur für ‹Verdienste um das Vaterland im Kampf gegen Frankreich› verliehen wurde. Allerdings war 1813, als Preußen und Russen gemeinsam gegen Napoleon kämpften, noch nicht abzusehen, daß das Eiserne Kreuz auch an einen später absichtsvoll mißverstandenen ‹Drang nach Osten› erinnern und mit den schwersten Verbrechen Deutschlands in Verbindung kommen würde.

Als Bauwerk wie als Denkmal ist das Brandenburger Tor eine Manifestation des Übergangs vom 18. zum 19. Jahrhundert. Es steht auf «der Schneide der Zeiten», also «jenseits von *Ancien régime* und diesseits von Revolution und Restauration» (Kurt Bauch). Unübersehbar ist das hohe Tor mit seiner Victoria ein monarchisches Ehren- und Siegesmal. Friedrich Wilhelm II., Nachfolger Friedrichs des Großen, hat es nicht zuletzt für seinen berühmten Onkel errichten lassen. Zugleich sollte das Tor dem Stolz der Bürger und dem Selbstbewußtsein der aufblühenden Stadt zeitgemäßen Ausdruck verleihen. Daß es sich um eine gedachte Einheit aus Fürst, Volk und Vaterland handelt, eine sehr deutsche und durchaus vormärzliche Synthese, die uns ja auch in den Festen und der Vereinsbewegung beispielsweise für das Hermannsdenkmal begegnet, das wird am Bildprogramm noch deutlicher. Hoch oben im Triumphwagen die Siegesgöttin, darunter an der Attika, der Stadt zugewandt, das Friedensversprechen, jene Pax Friedericiana, die seit dem Hubertusburger Frieden (1763) mehr als vierzig Jahre Bestand hatte, bis Preußen unter dem Ansturm der Napoleonischen Armeen zusammenbrach. Etwas tiefer, in den Metopen, der Sieg des Guten und Gerechten über das Böse und Hinterhältige am Beispiel des von Ovid in den *Metamorphosen* beschriebenen Kampfes der Lapithen mit den Kentauren. Darunter der Herkules-Zyklus als Hymnus auf den großen Hohenzollern-Fürst und schließlich am Fuße des Bauwerks in den Statuen der Minerva und des Mars – allegorische Darstellungen des Friedens, der Einigkeit, der Künste, der Tapferkeit und Stärke – Symbole für das gesellschaftliche Ganze, für die Stadt und ihre aufblühende Bürgerschaft.

Die Einweihung des Tores (1791) und die Aufstellung der Quadriga zwei Jahre später wurden in aller Stille vollzogen. Der König war nicht anwesend. So blieb es – Ironie der Geschichte – Napoleon vorbehalten, das Brandenburger Tor zum preußisch-deutschen Symbol zu machen. Napoleons Einzug in die Stadt am 27. Oktober 1806 war eine ebenso glanzvolle wie demütigende Demonstration. Friedrich Wilhelm III. und Königin Luise hatten Berlin samt Hofstaat fluchtartig verlassen. Vertreter der Bürgerschaft mußten vor das Brandenburger Tor kommen, um dem ungebetenen Gast die Stadtschlüssel zu überreichen. Daß nicht wenige Berliner dem Korsen ein «Vive l'empéreur» zugerufen haben, hat den Franzosen so wenig beeindruckt wie die Bitte Schadows und der Königlichen Akademie, daß der siegreiche Kaiser bei seinem Kunstraubzug durch die Stadt die aus dünnem Kupfer gefertigte, zerbrechliche Quadriga verschonen möge. Napoleon dachte gar nicht daran. So ist sie erst durch ihre räuberische Entwendung zum «vaterländischen Symbol» avanciert und aus dem vorübergehend «leeren Tor» zunächst ein Denkmal nationaler Demütigung geworden, zumal sich unter den Berlinern bald wachsende Unzufriedenheit gegenüber der französischen Besatzungsmacht breitmachte.

Ende März 1814, die verbündeten Truppen der siegreich beendeten Völkerschlacht waren eben in Paris eingezogen, erreichte Berlin die Nachricht, daß der preußische Siegeswagen samt Siegesgöttin aufgefunden worden sei. Der Rücktransport gestaltete sich zu einem wahren Triumphzug.

Mancher Beobachter sprach von einer ‹Nationalprozession›. Sie machte das einigende Band der am Befreiungskampf beteiligten Deutschen, die es in einem staatsrechtlich-politischen Sinne ja noch nicht gab, nachdrücklich sichtbar. Am 7. August 1814, einem Sonntag, war es dann soweit. Berlin erlebte einen Festtag der ganz besonderen Art. Den Einzug des Königs und der preußischen Armee begleiteten Paraden, Gottesdienste und Straßenfeste. In Erinnerung an diesen Tag und an die Befreiungskriege wurde das Quarée in ‹Pariser Platz› umbenannt, das Oktogon vor dem Potsdamer Tor in ‹Leipziger Platz› und das Rondell am Halleschen Tor in ‹Belle-Alliance-Platz›.

Im Rückblick der späteren Generationen war die Zeit um und nach 1800 eine bedeutsame Epoche der preußisch-deutschen Geschichte: Ein Höhepunkt deutscher Literatur, Musik und Philosophie fiel zusammen mit den großen Reformwerken des preußischen Staates und dem Freiheitskampf gegen Napoleon. Diese Ereignisse und Errungenschaften machten das Brandenburger Tor zu einem Symbol nationaler Erhebung und Freiheit – mit einem dreifachen Sinngehalt: einem antifranzösischen, einem gegenrevolutionären und tendenziell auch einem antiwestlichen Element (Gustav Seibt).

Im Verlauf des 19. Jahrhunderts war das Brandenburger Tor dann des öfteren nur noch Kulisse für effektvolle Selbstdarstellung des preußisch-deutschen Machtstrebens. Es büßte seine mehrschichtige Bedeutung ein, fungierte als Siegestor und Teil einer dynastischen und militärischen Denkmalsanlage, ergänzt durch Siegesallee und Siegessäule, Bismarck-, Moltke- und Roon-Standbilder, die Ruhmeshalle im Zeughaus und das Denkmal Wilhelms I. auf der Schloßfreiheit.

In der Weimarer Republik verlor es seinen Status als gefeiertes und theatralisch inszeniertes Symbol des preußischen Machtstaates. Das einstige Friedens-, Sieges- und Triumphtor geriet an den Rand der großen und bewegenden Ereignisse, der revolutionären und gegenrevolutionären

Kämpfe des inneren Belagerungszustands. Durch seine hohen, schlanken Säulen zogen die langen Trauerzüge der Staatsbegräbnisse für Rathenau, Ebert und Stresemann. In den zwanziger Jahren gab es sogar Abrißforderungen seitens linker Reichstagsabgeordneter. Andererseits versuchte das Reichsbanner mit diesem nationalen Symbol am wenig populären Verfassungstag für den staatlichen Zusammenhalt einzutreten und zu werben. Doch blieben die Versuche vergeblich. Auch mit symbolischen Waffen konnte sich die Weimarer Republik gegen ihre Widersacher letztendlich nicht behaupten.

Zum Siegestor wurde das Brandenburger Tor erneut durch die Nationalsozialisten gemacht. Am 30. Januar 1933 zogen SA- und SS-Kolonnen im Fackelzug hindurch. Ganz in der Sprache der nationalen Erhebung hieß es im *Berliner Lokal-Anzeiger*, daß nun «die Armee der nationalsozialistischen Revolution durch das Brandenburger Tor Einzug» in das «rote Berlin» gehalten habe. Und weiter: «Brausend klangen die Heilrufe zur Viktoria hinauf, den Aufbruch der Nation und den Beginn eines neuen Reiches kündend.» Zu einem Triumphmarsch geriet der Einzug der Wehrmachtsverbände nach dem Sieg über Frankreich 1940. Wieder war «alte Schmach» getilgt, jedenfalls im Verständnis derer, für die Versailles bloßes Diktat und Unrecht der Sieger war. Wie geschichtspolitisch effektvoll Hitler zu agieren vermochte, bewies er, als er am 24. März 1941, am sogenannten Heldengedenktag, den Salonwagen von Compiègne durch das Brandenburger Tor ziehen ließ, jenen Waggon, in dem am 11.11.1918 der wenig später ermordete Zentrumspolitiker Matthias Erzberger die alliierten Waffenstillstandsbedingungen unterzeichnet hatte.

1945 wurde das Tor abermals zur Kulisse für Siegesfeiern. Nach der Kapitulation der deutschen Wehrmacht zogen nun allerdings die alliierten Siegermächte durch das schwer beschädigte Nationalsymbol. Die Victoria samt Siegeszeichen

Parade der alliierten Stadtkommandanten am 8. Mai 1946

hatte ein Volltreffer weggerissen und von der Quadriga nur noch ein Fragment übriggelassen. Zwar war es als Berliner Wahrzeichen und nationales Symbol nicht unumstritten, aber auf die Liste jener Denkmäler, die dem neuen Zeitgeist geopfert werden sollten, kam es nicht, wie etwa die Siegessäule oder das Denkmal Friedrichs des Großen. An eine Wiederherstellung war zunächst nicht gedacht.

Der Aufstand vom 17. Juni 1953 gab dem Tor einen neuen Sinngehalt und machte es zum Symbol deutscher Einheit. Ende der fünfziger Jahre waren Tor und Quadriga wiederhergestellt, aber ohne preußischen Adler und Eisernes Kreuz. Neben der Roten Fahne wehte die Staatsflagge der DDR. Seit dem Mauerbau war diese innerstädtisch faktisch wie symbolisch wichtigste Verbindung zwischen Ost und West nicht mehr zugänglich. Was der Westen als ‹widernatürliches Schandmal› verabscheute, rühmte der Osten als ‹antifaschistischen Schutzwall des Friedens und des Sozialismus›. Als der US-amerikanische Präsident John F. Kennedy im Juni 1963 in die Stadt kam und auch durch das Tor in den

Plakat des
Kuratoriums
Unteilbares
Deutschland, 1961

Osten sehen wollte, wurde es mit roten Fahnen und der
DDR-Flagge zugehängt.

Jahrzehntelang blieb das Brandenburger Tor die symbolische Manifestation der deutschen Frage. «Solange das Brandenburger Tor zu ist, ist die deutsche Frage offen» – hieß ein
bald geflügeltes Wort Richard von Weizsäckers. Jahrzehntelang lautete die westliche Losung: «Macht das Tor auf!» Das
Kuratorium Unteilbares Deutschland hatte diesen hilflosen
Appell in Umlauf gebracht – als Antwort auf Chruscht-
schows Berlin-Ultimatum. Im Bewußtsein der Weltöffentlichkeit war das Brandenburger Tor inzwischen Sinnbild der
deutschen Teilung und des globalen Ost-West-Konfliktes
schlechthin.

Kaum einer hielt die Aufforderung des amerikanischen

Präsidenten Ronald Reagan an seinen sowjetischen Amts-
kollegen am 12. Juni 1987 vor dem vermauerten Tor für
mehr als eine theatralisch wirkungsvolle Geste: «Mr. Gor-
batschow open this Gate!» Und doch: gut zwei Jahre später
öffnete sich die Mauer und wenig später auch das Brandenburger Tor. In der Silvesternacht 1989/90 wurde die Quadriga so schwer beschädigt, daß sie abgenommen und der gesamte Bau generalüberholt werden mußte. Für Empörung
sorgte, als die NPD am Brandenburger Tor Erinnerungen an
den 30. Januar 1933 wecken wollte. Der Bezirk Mitte beeilte
sich, den westlichen Platz davor zu schützen: durch Umbe-
nennung in ‹Platz des 18. März›. Die Innenminister beschlossen, das Versammlungsrecht an ‹symbolträchtigen
Orten› einzuschränken.

Die künstlerische Auseinandersetzung mit dem Brandenburger Tor nahm darauf verständlicherweise wenig Rücksicht. In der Debatte um das in unmittelbarer Nähe errichtete Holocaust-Mahnmal war es wiederholt Stein des An-
stoßes. Einen provozierenden Vorschlag zur symbolischen
Umnutzung des Brandenburger Tors hat Horst Hoheisel gemacht. Sein Wettbewerbsbeitrag für das zentrale deutsche
«Denkmal für die ermordeten Juden Europas» von 1995 war
eine provozierende Anti-Lösung: «Das Brandenburger Tor
wird abgetragen, Steine und Bronze werden zu Staub zer-
mahlen. Der Staub wird auf dem Denkmalsgelände ver-
streut. Der Platz wird mit den in Berlin auf Bürgersteigen
häufig verlegten alten Granitplatten bedeckt. Die Namen der
europäischen Länder mit den entsprechenden Zahlen der Ermordeten werden dort eingeschrieben.»

Ausdrücklich als Anti-Monument haben Renata Stih und
Frieder Schnock im gleichen Wettbewerb ihr Konzept «Bus
Stop» vorgestellt. Ihre Prämissen hießen: dezentrales Gedenken und Integration der dezentralen Erinnerungsorte an
den Holocaust in den Rhythmus des hauptstädtischen Lebens. Auf dem Gelände zwischen Brandenburger Tor und

Potsdamer Platz wollten sie einen Bus-Bahnhof errichten,
von dem aus regelmäßig Busse zu den deutschen und außer-
deutschen Gedenkstätten der früheren Konzentrations- und
Vernichtungslager fahren sollten. Kein ephemeres, aber ein
mobiles Monument, das den zentralen Erinnerungsort mit
der Peripherie verknüpft. Ein interaktives Monument, das
die Last der Auseinandersetzung mit dem Holocaust nicht
an das Denkmal delegiert, sondern an die Busreisenden zu-
rückgibt. Ist eine künstlerisch und geschichtspolitisch über-
zeugendere Lösung denkbar als diese, die das Holocaust-
Mahnmal überflüssig gemacht und den für Deutschland
zentralen Erinnerungsort des Judenmords, die «Topographie
des Terrors» aufgewertet und mit den deutschen Konzentra-
tions- und Vernichtungslagern von Buchenwald bis Treblinka verknüpft hätte?

In einem weiteren Vorschlag, den man mit dem Bus-
Bahnhof durchaus hätte kombinieren können, hat Horst Hoheisel vielleicht das eindringlichste Bild gefunden. Es hätte
das Brandenburger Tor auf die jüngste deutsche Geschichte
bezogen, in das Ensemble der anderen nationalen Gedenkstätten einbezogen und – weil nur geringe Kosten angefallen
wären, erhebliche Mittel für andere Erinnerungsorte freige-
setzt. Hoheisel hat d a s Gegenbild zum Brandenburger Tor
gefunden. In einer fotografischen Projektion wird das Symbol deutscher Freiheit und Erhebung mit dem Tor der Unfreiheit, der Menschenverachtung und des Todes konfrontiert – dem Haupteingangstor von Auschwitz und seiner
Inschrift «Arbeit macht frei».

DIE FRANKFURTER PAULSKIRCHE

Herberge vergeblicher Hoffnungen?

Frankfurt am Main im Frühjahr 1944: Der Krieg ist längst entschieden, zu Ende ist er noch nicht. Auch zwei weltberühmte Baudenkmäler der Kulturnation werden noch zerstört. Am 12. März brennt die Paulskirche völlig aus, und am 22. März fällt Goethes Geburtshaus in Schutt und Asche. Im August 1949 soll der 200. Geburtstag des Dichters gefeiert werden. Anlaß genug für den Literaturwissenschaftler und Vorsitzenden des Freien Deutschen Hochstifts, Ernst Beutler, energisch den Wiederaufbau des Goethehauses zu betreiben. Er möchte – und viele mit ihm – ein Zeichen setzen, daß «der Glaube an den deutschen Geist» noch «nicht verloren ist».

Einwände, wie sie beispielsweise Walter Dirks äußert, bleiben ohne Wirkung. «Es gibt Zusammenhänge zwischen dem Geist des Goethehauses und dem Schicksal seiner Vernichtung», schreibt der katholische Publizist und Mitherausgeber der *Frankfurter Hefte*, «wäre das Volk der Dichter und Denker nicht vom Geist Goethes abgefallen, vom Geist des Maßes und der Menschlichkeit, so hätte es diesen Krieg nicht unternommen und die Zerstörung dieses Hauses provoziert. (…) es hatte seine bittere Logik, daß das Goethehaus in Trümmer sank. Es war kein Versehen, das man zu berichtigen hätte, keine Panne, die der Geschichte unterlaufen wäre: es hat seine Richtigkeit mit diesem Untergang. Deshalb soll man ihn anerkennen.»

Eilig macht man sich auch an den Wiederaufbau der Paulskirche, zumal die Jahrhundertfeier der ersten Deutschen Nationalversammlung bevorsteht. Zu diesem Zeitpunkt kann die Mainmetropole zudem noch hoffen, die neue

Bundeshauptstadt zu werden. Ihr historischer Rang spricht für sie, ihre aktuelle Bedeutung als Sitz der Verwaltung der Bizone und des Wirtschaftsrates auch.

Angesichts der katastrophalen wirtschaftlichen Lage kann Frankfurt den Wiederaufbau der Paulskirche in so kurzer Zeit nicht aus eigener Kraft bewältigen. Oberbürgermeister Walter Kolb wendet sich deshalb mit einem Spendenaufruf an das ganze Land. Ein werdender neuer Staat müsse sich auch «im Symbol neu erbauen». Das nationale Pathos verfehlt seine Wirkung nicht. Bis Ende des Jahres gehen knapp 2 Mio. Reichsmark ein. Selbst das Zentralkomitee der SED, zu der Zeit noch auf gesamtdeutschem Kurs, spendet 10 000 Reichsmark, das Land Sachsen überweist den zehnfachen Betrag. Anrührend, was die Liste an Sachspenden verzeichnet: Der Landkreis Rügen schickt einen Waggon Kreide, 2000 Zigarren spendet die Gemeinde Bad Orb, und verschiedene Moselstädte liefern mehrere hundert Weinkisten.

Der Tag der Wiedereinweihung des noch unvollendeten Baus, der 18. Mai 1948, zugleich der Tag der Hundertjahrfeier der Eröffnung der Paulskirchenversammlung, ist ein strahlender Tag. Die Kirchenglocken läuten, dicht drängen sich die Menschen auf dem Römerberg. Den Festvortrag hält der Frankfurter Schriftsteller Fritz von Unruh, nach 16 Jahren erstmals wieder in Deutschland. Eine festliche Stimmung läßt er nicht aufkommen. Auch wenn es gelungen sei, die Paulskirche aus den Trümmern wieder aufzubauen, «verhehlen wir 1948er uns dennoch nicht», erklärte er dem Publikum, «daß die Argusaugen militärischer Besatzung durch die Fenster spähen, und Germania (…), die vor einem Säkulum dort an einem orgelverdeckenden Vorhang mit Fahne und Schwert abgebildet war, jetzt eine all ihrer Hoheitszeichen entblößte, verarmte, zerlumpte Büßerin geworden ist mit Totenschädeln vor den fluchzerweinten Augen.» Die Paulskirche sei aber andererseits auch der Ort, zu dem hin die vormärzliche Freiheits- und Einigungsbewegung geführt

und das Vermächtnis der ersten deutschen Nationalversammlung seinen Ausgang genommen habe.

Ihre Anfänge liegen im ausgehenden 18. Jahrhundert.
1786 mußte Frankfurts evangelisch-lutherische Hauptkirche,
die gotische Barfüßerkirche unmittelbar neben dem Römerberg, wegen Baufälligkeit abgebrochen werden. An ihre Stelle trat die Paulskirche, der zweite protestantische Kirchenbau
in Frankfurt überhaupt. Gefordert waren Dominanz und
Symbolik. Die Bauarbeiten gestalteten sich schwierig und
konnten erst 1833 abgeschlossen werden. Mehrfach wurde
der Entwurf abgeändert.

Das aus rotem Sandstein errichtete Gebäude behielt das
steile, leicht abgeflachte Schieferdach. Der Turm wurde um
ein Uhr-Geschoß erhöht. Statt der ursprünglich geplanten
Doppelempore erhielt die Kirche nur eine einfache Empore,
getragen von 20 ionischen Säulen. Sie bot 2000 Personen
Platz. Den fast dreißig Meter hohen Saal überwölbte eine an
den mächtigen Dachstuhl angehängte flache Kuppel. Die
Proportionen verfehlten ihre Ausstrahlung nicht. Vor allem
aber besticht die Kirche, damals wie heute, durch ihren licht-
durchfluteten Innenraum. Der Baumeister hatte den Anspruch an eine protestantische Predigerkirche erfüllt: Den
Pfarrer konnte man von jedem Platz aus sehen und hören.
Die dem Amphitheater nachempfundene halbkreisrunde
Anordnung der Sitzbänke für 500 Personen gab dem Sakral-
bau einen politischen Akzent. Seit der Französischen Revolution wurde diese dem Vorbild der griechischen Bürger-
versammlung entsprechende Sitzordnung als Urbild der
öffentlichen Versammlung und freien Debatte angesehen.
Der schlichte, das bürgerlich-egalitäre Prinzip betonende
Raum erhielt durch den dreiteiligen Orgelprospekt ein fest-
lich-erhabenes Element.

Die Größe und räumliche Beschaffenheit ließen die Paulskirche schließlich auch als Tagungsort für die Nationalversammlung geeignet erscheinen, nachdem sich der Kaisersaal

des Römers als zu klein erwiesen hatte. Gleichwohl war die bald als Parlamentskirche titulierte Paulskirche von ihrer baulichen Konstruktion her eben doch mehr Kirche als Parlament.

Am 18. Mai 1848 zogen zunächst rund vierhundert Abgeordnete der ersten deutschen Nationalversammlung über den Römerberg zur Paulskirche – mit Glockengeläut und Kanonendonner, begleitet von dem Beifall der begeisterten Bevölkerung und ihren lauten Vivat-Vivat-Rufen. Den Zug umwogte ein Meer schwarz-rot-goldener Tücher und Fahnen, die aus allen Fenstern wehten. Frankfurt am Main erlebte einen Jubeltag, ja, vielleicht schon den Höhepunkt der revolutionären Ereignisse. In weiten Teilen des Landes hatte sich die Bevölkerung spontan gegen die feudalen, territorialen Gewalten erhoben, für die Einheit aller Deutschen demonstriert und weitreichende politische Reformen gefordert. Die Erwartungen waren entsprechend groß.

Für die Parlamentssitzungen mußte neben aufwendigen Dekorationen aus schwarz-rot-goldenen Fahnen und Girlanden eine Reihe vor allem technischer Veränderungen vorgenommen werden. Wo bislang gepredigt wurde, sollten nun zündende Reden gehalten werden, wo gestern noch gebetet und gesungen wurde, sollte jetzt debattiert und über politische Grundsatzfragen entschieden werden. Vor Altar und Kanzel, die hinter Vorhängen versteckt waren, standen Präsidiumstisch und Rednerpult. Darüber, im Mittelteil des dreiteiligen Orgelprospekts, befand sich in schwarz-rot-goldener Farbenpracht die Germania des Städel-Direktors Philipp Veit. Jene schwärmerische Allegorie der aus ihren Ketten befreiten deutschen Nation, in der rechten Hand ein Schwert samt friedensverkündendem Ölzweig, in der linken die schwarz-rot-goldene Fahne, Eichenlaub im Haar und den Habsburger Doppeladler auf der Brust. Dazu das verheißungsvolle Symbol des Sonnenaufgangs.

Auch die politische Arbeit verlangte nach einer Ordnung.

Eröffnungssitzung des Deutschen Parlaments in der Frankfurter Paulskirche. Kreidelitographie nach E. G. May

Die Erfindung und Erprobung von parlamentarischen Strukturen mit Geschäftsordnung, Ausschuß- und Fraktionsbildung haben hier ihren Ursprung. Die Entstehung des Fraktionswesens begann auf der Linken früher als auf der Rechten. Schon Ende Mai sammelte Robert Blum Gesinnungsgenossen um sich. Wenig später schlossen sich auch die Liberalen und Konservativen zu Fraktionen zusammen. Ihren Namen erhielten sie durch die Versammlungslokale, in denen sich diese «Klubs» regelmäßig trafen. Was informell begann, führte bald zu Formalisierung – mit Statut, Programm und formeller Mitgliedschaft. Im Oktober 1848 bestanden vier große richtungspolitische Gruppen: ganz rechts das «Café Milani», das «Casino» als konstitutionell-liberale Mitte-Rechts-Fraktion, ebenfalls in der Mitte: der «Landsberger» und der «Augsburger Hof», als linkes Zentrum der «Württemberger Hof» und auf der Linken schließlich der «Deutsche Hof» und der «Donnersberg».

In den beiden grundlegenden Streitfragen gab es jeweils

zwei Lager: Den Anhängern der Volkssouveränität und der parlamentarischen Demokratie auf der Linken standen im Zentrum und bei der Rechten die Befürworter von konstitutioneller Monarchie, Vereinbarung mit den Fürsten und einer föderalistischen Gliederung Deutschlands gegenüber. Die Mitte-Rechts-Fraktionen setzten sich bei den meisten Abstimmungen durch. Die zweite Grundsatzfrage betraf den Gegensatz großdeutsch-kleindeutsch. Die großdeutsche Koalition bestand hier aus der Vereinigten Linken und der Rechten, während die Erbkaiserlichen aus den Mitte-Links-Fraktionen gebildet wurden.

Die Paulskirche sollte der Ort kontroverser, aber geordneter Debatten sein über die politisch-rechtliche Ausgestaltung und Umsetzung der Kernforderungen der Märzrevolution: nationale Einheit und freiheitliche Verfassung. Nicht nur über diese beiden Ziele, auch über den Weg dahin bestand Einigkeit. Er sollte friedlich und gewaltlos sein. Das jakobinische Beispiel des *terreur,* die Guillotine und die Anarchie schreckten ab. In den ersten Monaten nach Beginn der mit viel Vorschußlorbeeren versehenen parlamentarischen Verhandlungen konnte man den Eindruck gewinnen, daß die liberale «Politik der Revolutionsbegrenzung» (Dieter Langewiesche) Erfolg haben würde. Aber die Drohung physischer Gewalt blieb als latente Gefährdung der Paulskirche gegenwärtig. Sei es in Form der Wiederkehr der revolutionären Gewalt, die das bürgerliche Honoratiorenparlament hinwegfegen würde, um eine «rote Republik» an seine Stelle zu setzen. Sei es in Form der Gegenrevolution, also durch die «Reaction» in Österreich und Preußen.

Hier lag ein entscheidendes Problem, vielleicht das entscheidendste überhaupt: die Frage der Zentralgewalt. Die außenpolitischen Verwicklungen, insbesondere der Konflikt mit Dänemark um Schleswig-Holstein ließen es als unabdingbar erscheinen, noch vor Beginn der Verfassungsberatungen eine Reichsgewalt zu schaffen, die über Truppen verfügt hätte. Damit waren zwei höchst umstrittene Probleme verbunden: die institutionelle Form und Legitimation der Reichsspitze, Erbkaiser oder vom Volk gewählter Präsident, sowie das Verhältnis der Reichsgewalt zu den Einzelstaaten. Die Linke wollte eine republikanische Ordnung. Die Mehrheit plädierte für eine Vereinbarung mit den Fürsten, die deren Rechtsstellung konstitutionell anerkannte.

Aus diesem Dilemma half Parlamentspräsident Heinrich von Gagern mit dem Vorschlag heraus, das Amt des Reichsverwesers zu schaffen und vorläufig dem österreichischen Erzherzog Johann zu übertragen, einer angesehenen, liberalen Persönlichkeit. Als er Ende Juni 1848 in sein Amt eingeführt wurde, war die Begeisterung in der Bevölkerung und auch bei den meisten Abgeordneten groß. Aber Wunsch und Wirklichkeit klafften weit auseinander. Die Flügelmächte Preußen und Österreich dachten gar nicht daran, ihre Truppen der Provisorischen Reichsgewalt zu unterstellen.

Auch die Frage der Grundrechte blieb kontrovers, zumal dadurch Mindestkriterien einer verfassungsmäßigen Regierungsweise für die Einzelstaaten definiert wurden, was nicht nur Preußen und Österreich zurückwiesen. Und im Spätsommer wurde die politische Stimmung durch den Ausgang des Schleswig-Holstein-Konflikts radikalisiert. Zwar lehnte die Nationalversammlung den Waffenstillstand von Malmö ab, der den Verlust von Schleswig bedeutet hätte. Er mußte dann aber doch anerkannt werden, was als Verrat an den Schleswig-Holsteinern in ihrem Freiheitskampf gegen Dänemark empfunden wurde.

In Frankfurt kam es zu einem von der Linken geschürten Volksaufstand gegen die Nationalversammlung. Die öffentliche Ordnung konnte nur mit Hilfe von preußischen und Reichstruppen wiederhergestellt werden. Es gab Tote. Damit aber war das bis dahin makellose Ansehen der Nationalversammlung nachhaltig beschädigt. Die Polarisierung innerhalb und außerhalb der Paulskirche zersetzte den ohnehin

nichtstabilen nationalen Grundkonsens. Die Linke beschul-
digte das Parlament des Verrats an nationaldeutschen Interessen und der Kollaboration mit den traditionellen Gewalten. Auch die Rechte ging auf Distanz. Sie bezweifelte, ob die
Nationalversammlung in der Lage sein würde, eine drohende Radikalisierung abzuwenden. Die Gegenrevolution formierte sich und setzte sich im Herbst in Berlin und Wien
durch. Die standrechtliche Erschießung Robert Blums am
9. November 1848 machte ihn im Südwesten Deutschlands
zum Märtyrer für die republikanische Idee.

Ansehen und Einfluß der Paulskirche waren so ge-
schwächt, daß sich der Streit über die Frage: kleindeutsch-
preußische oder großdeutsch-österreichische Lösung für die
Gestaltung des Deutschen Reiches gleichsam in einem
Machtvakuum vollzog. Gleichwohl trat die Konstituante mit
ihrem Werk, der am 28. März 1849 verkündeten Reichsverfassung, noch einmal kraftvoll hervor. Aber mit der Zurück-
weisung der Kaiserwürde durch den preußischen König
Friedrich Wilhelm IV. war das Ende der Paulskirchenversammlung praktisch besiegelt.

Im Südwesten Deutschlands formierte sich allerdings noch
einmal eine breite Volksbewegung. Sie wollte die Anerkennung der Reichsverfassung mit friedlichen Mitteln und,
wenn nötig, auch mit Gewalt durchsetzen. Die in der sogenannten Reichsverfassungskampagne gemeinsam agierenden
‹Märzvereine› verfügten über eine beachtliche organisatori-
sche Basis. Die Historiker der 1848er Zeit sprechen inzwischen von einer ‹zweiten Revolution›. Sie begann Anfang
Mai 1849 mit der Einsetzung einer Revolutionsregierung in
Dresden, erfaßte weite Regionen des Rheinlandes und erreichte in Baden mit der Bildung einer Revolutionsregierung,
die sich auf das Militär und eine loyale Beamtenschaft stüt-
zen konnte, ihren Höhepunkt. Auch die Bundesfestung Rastatt ging in das Lager der Aufständischen über. Dann aber
warf die preußische Armee die Aufstandsbewegung Schritt

für Schritt nieder. Schließlich fiel auch die Bundesfestung. Und in einem blutigen Standgericht fand die badische Aufstandsbewegung ein trauriges, aber ehrenvolles Ende. Deshalb gehört neben die Paulskirche als dem zentralen Symbol für die Anfänge der Demokratie in Deutschland die von Gustav Heinemann ins Leben gerufene Gedenkstätte Rastatt.

Mit dem Ende der verfassunggebenden Arbeit der Paulskirche begann ihre zweite Geschichte. Schon im Kaiserreich haben Arbeiterbewegung und liberales Bürgertum an das Vermächtnis von 1848 erinnert, wenn auch in sehr unterschiedlicher Sichtweise. Das liberale Geschichtsbild abstrahierte von den revolutionären Barrikadenkämpfen, um die Nationalversammlung vor allem als vorbildlichen Verfassungsgeber zu würdigen. Sie akzentuierte folgerichtig den 18. Mai. Die Arbeiterbewegung stellte den 18. März lange in den Mittelpunkt ihrer Geschichtspolitik. Die öffentliche Erinnerung an die außerparlamentarisch-revolutionären Kämpfe sollte immer auch als politische Drohung, als symbolische Infragestellung der politischen Ordnung des Kaiserreichs verstanden werden. So behielt die Erinnerung an die Revolution von 1848 ihre Brisanz. Man konnte sie unterdrücken oder umdeuten, doch der bloße Gedanke, daß es mit der Paulskirchenverfassung schon eine Alternative zu den bestehenden Verhältnissen gegeben hatte, blieb ein Stachel, ein beunruhigendes Menetekel für die herrschenden Klassen – so wie die Figur des alten Buck, eines 1848er Demokraten, für den Aufsteiger Diederich Heßling in Heinrich Manns «Der Untertan».

Die Gedächtnisfeier zum 50jährigen Jubiläum der Nationalversammlung fand 1898 immerhin mit mehreren hundert Personen aus dem Umkreis der demokratischen Bewegung und der demokratischen Volkspartei statt. Am Haupttage der aufwendigen Veranstaltung traf man sich frühmorgens auf dem Friedhof, um der am 18. September 1848 gefallenen Barrikadenkämpfer zu gedenken.

Nach dem Zusammenbruch des Kaiserreichs versuchte Frankfurt als einstige deutsche Kaiserstadt und als Geburtsort des deutschen Parlamentarismus vergeblich, sich als Hauptstadt ins Spiel zu bringen. Anläßlich der 75-Jahrfeier am 18. Mai 1923 hätte es nahegelegen, die Paulskirchentradition mit einem großen Jubiläumsfest zu feiern. Friedrich Ebert, Reichstagspräsident Paul Löbe, Reichsinnenminister Rudolf Oeser, der preußische Ministerpräsident Otto Braun waren anwesend. Auch eine Delegation der österreichischen Nationalversammlung befand sich unter den Teilnehmern. Doch die Sorgen um Inflation und Reparationen, die Ermordung prominenter Republikaner, der latente Bürgerkrieg – dies alles ließ für ein Fest wenig Raum. «Die Zeit, die wir erleben», erklärte der Reichspräsident, sei «nicht berufen, Feste zu feiern», die Rückbesinnung auf die erste deutsche Nationalversammlung gleichwohl unverzichtbar: «Der Volksstaat des einigen und freien Deutschland habe damals verwirklicht werden sollen», führte Ebert weiter aus. Und «Einheit, Freiheit und Vaterland» seien auch heute der «Kern und Stern des Daseinskampfes». Die Veranstalter bemühten sich, die einstige Innenausstattung wieder zu rekonstruieren. Veits Germania-Bild wurde kopiert, die Fahnenarrangements der Reichs- und Länderflaggen nachgestellt, die Präsidiumstribüne und das Rednerpult nachgebaut – sinnlichwahrnehmbare Zeugnisse, die an den Anfang der Demokratie in Deutschland erinnerten.

Aber schon in ihren Anfangsjahren war die Weimarer Republik polarisiert. Die Rechtsparteien hatten an dieser Veranstaltung kaum Interesse. Der liberale Historiker Veit Valentin appellierte an sie, die nicht glauben wollten, daß der «demokratische Gedanke» und der «freie Volksstaat» tief verwurzelt seien «im germanischen Wesen», nicht «schmollend abseits» zu stehen. Diese dachten gar nicht daran und agitierten gegen die Paulskirche und die Republik, wo sie konnten.

Als sich am 31. März 1938 zum neunzigsten Male der Tag jährte, an dem in Frankfurt das Vorparlament zusammengetreten war, da schien sich ein 1848er Traum erfüllt zu haben, aber auf welche Weise und um welchen Preis: Das Deutsche Reich hieß nun «Großdeutschland». Die Freiheit aber war verloren, verspielt. Am 31. März gab die Stadt Frankfurt dem «Führer des Deutschen Reiches» im Kaisersaal einen Empfang. Und Hitler nutzte den Auftritt, ganz in der verlogenen Pose des ‹Heilsbringers›: «Das Werk, für das vor neunzig Jahren unsere Vorfahren kämpften und bluteten, kann nunmehr als vollbracht angesehen werden (….) das neue Großdeutsche Reich (wird) für alle Zukunft bestehen.» Sieben Jahren blieben ihm noch.

Am 18. März 1944 trafen Phosphorbomben die Parlamentskirche schwer. Als ausgebrannte Ruine war sie nun nicht mehr ein Symbol für die unerfüllt gebliebene Hoffnung auf Einheit und Freiheit. Ihr ausgeglühtes ovales Rund, die leeren Fensterhöhlen, die Säulen unter freiem Himmel und das nach unten gestürzte, wie an einem Faden hängende Kreuz – sie wurden als Allegorie des zerstörten Deutschlands empfunden.

Schnell war der Entschluß gefaßt, die Paulskirche als einstigen und vielleicht auch zukünftigen Sitz eines gesamtdeutschen Parlaments wiederaufzubauen. Es gab eine kurze, heftige Debatte um die Art der Rekonstruktion. Während sich die Stadt beim gänzlich zerstörten Goethehaus für einen originalgetreuen Wiederaufbau entschloß, waren die Meinungen hinsichtlich der Paulskirche geteilt. Die Denkmalpfleger votierten für eine historisch getreue Wiederherstellung, die Stadt sprach sich für eine an die Moderne der Weimarer Republik anschließende Form des Wiederaufbaus aus. Man wollte, wie es im Ausschreibungstext heißt, die «schlichte Größe unbedingt erhalten» und in der «Neugestaltung dieses Weiheraumes eine zeitgemäße künstlerische Auferstehung» der Paulskirche erreichen. Die über einhundert Entwürfe überzeugten die Stadt offenbar nicht, und man entschied sich, den renommierten Kölner Architekten Rudolf Schwarz mit dem Wiederaufbau zu beauftragen.

Schwarz fand, daß die Zerstörung dem Kirchbau einen Hauch von «antiker Größe» geschenkt habe. Er wollte sie in einem erinnernden Neuaufbau bewahren und zugleich als ein Bild des «schweren Weges» deuten, den «unser Volk in dieser seiner bittersten Stunde zu gehen hat.» So war der Aufstieg in den Festsaal der eigentliche Zweck der ganzen Rauminszenierung.

Dafür ließ er sich vom Bild des erlösenden Fegefeuers inspirieren, gab dem Bau ein Untergeschoß, über das er ein Foyer von sehr niedriger Raumhöhe legte, so daß der Besucher nicht mehr über eine Freitreppe, sondern durch einen schachtartig engen Weg in die dämmrige Wandelhalle mit ihren dickleibigen Rundpfeilern gelangt, von wo aus er über zwei breite Treppen in den Vortragssaal geführt wird – und in eine geradezu überwältigende Lichtfülle eintaucht. Die weiß verputzten Wände, die Doppelreihe der Rundbogenfenster, darüber die Zeltdecke aus radialen Holzstreben, die ein zentrales Oberlicht umgeben, und der Verzicht auf die Empore – all diese Elemente bilden einen Raum großer Offenheit von klösterlicher Strenge. Er sollte, wie Schwarz später schrieb, «geistigen Dingen von hohem Rang» dienen und jedes «unwahre Wort» sich in ihm verbieten. Als Parlamentsplenum ist die Kirche nicht genutzt worden. Sie gibt jedoch bedeutenden Preisverleihungen der Republik einen repräsentativen und schlichten Rahmen: dem Friedenspreis des Deutschen Buchhandels, dem Goethe-Preis der Stadt Frankfurt, dem Adorno-Preis. Regelmäßig werden dort Gedenkstunden zum Volkstrauertag und zum 20. Juli veranstaltet. Anläßlich des Frankfurter Auschwitzprozesses wurden in der Paulskirche die beiden Ausstellungen «Auschwitz – Bilder – Dokumente» und «Warschauer Ghetto» gezeigt. Sie gehören zu den ersten Dokumentationen über die Ermordung der europäischen Juden. Im Jahr 1998 hielt Martin Walser dort seine umstrittene Rede.

Auch in seiner äußeren Gestalt hat die erinnernde Rekonstruktion Ausdruck gefunden. Statt des ursprünglich steilen Schieferdaches sah Schwarz eine Flachkuppel vor, die – auf einer hohen Attika aufgesetzt – dem Baukörper aus der Perspektive des Fußgängers den Charakter des ausgebrannten Torsos weitgehend beließ. Auch die Ausbesserungen in den rotsandsteinernen Außenwänden blieben sichtbare Ergänzungen, die ebenso an die Ruine erinnern wie das Hauptportal und die Nebeneingänge. Mit der Verbindung von Schlichtheit und eindringlicher Symbolik dieses nationalen politischen Symbols – Rudolf Schwarz sprach selbst von der «mönchischen Strenge» des Kirchenbaus – verknüpfte er einen volkspädagogischen Anspruch. In dieser «Gesinnung» wünschte er sich die Staatsneugründung. Diese Intention dürfte einer Gesellschaft, die heute orientierungslos zwischen Staatsverschuldung, Besitzstandswahrung und Spaßkultur verharrt, kaum noch verständlich zu machen sein.

Den Charakter einer Gedächtniskirche unterstreichen auch die Kunstwerke und Gedenkplatten an den Außenwänden. Es sind Zeugnisse von den Siegen und Niederlagen der deutschen Demokratie. 1950 wurde das Ebert-Denkmal wiederaufgestellt. Später folgten Gedenktafeln, Reliefs, Büsten für den Freiherrn vom Stein, Johann Jacob Spener, Carl Schurz, Theodor Heuss, Georg August Zinn, John F. Kennedy, und 1964 das Mahnmal des Bildhauers Hans Wimmer «für die Opfer des Naziterrors»: eine überlebensgroße, gefesselte und kniende Gestalt über einem Sockel mit den Namen von 53 Konzentrationslagern. Schon 1929 nannte der Reichstagsabgeordnete Theodor Heuss die Paulskirche «eine Herberge deutscher Hoffnungen und Schaubühne deutscher Tragik und Unvollkommenheit».

In den achtziger Jahren entschloß sich der Magistrat zu einem geladenen Wettbewerb für die Wandelhalle. Johannes

Grützke erhielt den Zuschlag. In seiner drastisch-gegen-
ständlichen Sprache zeigt er die Paulskirchenparlamentarier
als einen ziellosen Zug schwankender, sich stützender Gestalten mit grotesken Grimassen und kostbarer Last – der
Kaiserkrone und dem toten Robert Blum. Ihre schwarzen
Anzüge und Fräcke kontrastieren mit den grellfarbigen Szenen, an denen sie vorbeiziehen: balgende Gören, ringende
Männer, nackte Frauen. Grützke malt das Volk als eine viel-
deutige Selbstdarstellung. «Ich bin das Volk» heißt sein iro-
nischer Kommentar – zwei Jahre bevor in Leipzig und in
Berlin die DDR-Bürger auf die Straße gehen und mit dem
Ruf «Wir sind das Volk» und «Wir sind ein Volk» Demokratie und Einheit fordern – und so an das frühe Vermächtnis
der Paulskirche erinnern.

Wäre dort eine dritte Deutsche Nationalversammlung zusammengetreten, um die Wiedervereinigung und eine neue
Verfassung nach Art. 146 GG zu beschließen, hätte dies die
nationalstaatliche Einheit zwischen Ost- und Westdeutschen
in symbolischer Gleichberechtigung herstellen und die
Paulskirche als Geburtsort des deutschen Verfassungsstaates
nachhaltig aufwerten können. Nun wird man befürchten
müssen, daß ihr Wert als eines der zentralen politischen
Symbole Deutschlands in dem Maße verfällt, in dem der des
neu erstrahlenden Berliner Reichstages steigt.

DER BERLINER REICHSTAG

Geschunden und gekrönt

Welch ein Ort und welch ein Gebäude – gläsern gekrönt, geschunden, beschossen und vergessen, vom Abriß bedroht, abgeschabt und ausgeschlachtet und doch so beharrlich standhaft geblieben. Was hat dieser alte und ewig junge Solitär im Spreebogen, dieses erhabene und malträtierte Monument nicht alles erlebt und erlitten. Spott, Verachtung und Zerstörungswut überwogen, respektvoll pfleglicher Umgang war die Ausnahme. Nur selten ist er als nationalrepräsentative Institution geachtet worden. Stolz waren die Deutschen auf ihre Volksvertretung eigentlich nie.

Betont respektvoll und mit der dem Hohen Haus angemessenen Würde haben sich gerade jene Volksvertreter in ihm verhalten, die die kaiserliche Obrigkeit am liebsten dauerhaft aus ihm verbannt hätte, die als ‹vaterlandslose Gesellen› verspotteten und als ‹Reichsfeinde› verfolgten oppositionellen Sozialdemokraten. Bebel, berichtet Scheidemann, sei stets im schwarzen Gehrock im Reichstag erschienen. Einen in der Wandelhalle pfeiferauchenden Genossen soll er einmal scharf zurechtgewiesen haben, daß der Reichstag kein «Wirtshaus» sei.

Es ist bezeichnend für den beschwerlichen Prozeß der Parlamentarisierung in Deutschland, daß die Paulskirche gerade mal ein Jahr als Parlament genutzt wurde, und der Berliner Reichstag in den mehr als einhundert Jahren seines Bestehens nur rund fünfzig Jahre Tagungsort eines gesamtdeutschen Parlaments war. Er wurde in Brand gesteckt, zerbombt und wieder aufgebaut. Scheidemann rief von ihm die erste deutsche Republik aus. Regierungstruppen schossen von dort auf revolutionäre Spartakisten. Vor dem Reichstag gab

es blutige Massendemonstrationen – und bewegende Totenfeiern für die Großen der Republik. Sowjetische Soldaten
hißten auf der Ruine die Rote Fahne – triumphaler Ausdruck ihres Sieges über Hitler-Deutschland. Von dort appellierte Ernst Reuter während der Berliner Luftbrücke hilfe-
suchend an die Völker der Welt: «Schaut auf diese Stadt!» –
als wollte er zugleich vergessen machen, daß diese Stadt
eben noch Schauplatz eines maßlosen Bauprojektes war: Die
nun niedergerungenen Machthaber Nazi-Deutschlands waren drauf und dran gewesen, aus Berlin die Welthauptstadt
‹Germania› zu machen. Neben der über dreihundert Meter
hohen Kuppelhalle, eine Art Volksdom, der die Peterskirche
in seinem Volumen um das Siebenfache übertroffen hätte,
wäre der Reichstag zur Miniatur geschrumpft. Die Ruine
führte später eine Randexistenz. In den 1950er Jahren wurde
ihr Abriß gefordert – man brauchte und suchte Distanz zur
bedrückenden Vergangenheit. Zusammen mit dem Brandenburger Tor gilt der umgebaute und gläsern überbaute
Reichstag, dessen luftige und lichterfüllte Leichtigkeit kaum
noch an die Wechselfälle vergangener Tage erinnert, heute
als das Wahrzeichen des vereinten Deutschland. Eine Geschichte der Extreme also.

Niemand hat das so gut verstanden und einen Augenblick
lang sichtbar zu machen gewußt wie Christo und Jeanne-
Claude, die dem Reichstag durch ihr Verhüllungs-Enthül-
lungs-Kunstwerk ein Kleid des Schutzes, der Scham, des Todes übergezogen haben, um ihn und die in ihm beherbergte
und zeitweilig aus ihm vertriebene Institution in ihrer tragi-
schen Größe und Geschichte herauszuheben, ihm eine Aura
des Außeralltäglichen zu geben und ihn für kurze Zeit zum
Mittelpunkt einer volksfestartigen Verwandlungs-Zeremo-
nie zu machen.

Vier deutsche Herrschaftssysteme haben sich in und mit
ihm abgemüht. Schon der Anfang erscheint bezeichnend für
die spätere Entwicklung. Denn der Reichstag war ja lange

nicht, was er erst in den letzten Tagen des Kaiserreichs wurde: das Haus des Souveräns, Sitz des nationalen Parlaments,
von dessen Vertrauen der Reichskanzler nun in seiner Amts-
führung abhängig war, wie es der am 28. 10. 1918 ergänzte
Art. 15 RV vorsah. Jahrzehntelang blieb der Reichstag das
Kind einer konstitutionellen Monarchie, das – bezeichnenderweise – im Weißen Saale des königlichen Schlosses das
Licht der Welt erblickte. Dort, nicht etwa in einem Kirchenbau, einem Ballhaus oder an einem anderen bürgerlichen
Versammlungsort, trat der zum Norddeutschen Reichstag erweiterte Preußische Landtag am 24. Februar 1867 erstmals in
Erscheinung, um auf seine Majestät, König Wilhelm I., ein
dreifaches Hoch anzustimmen und sich von selbigem die von
Bismarck verfaßte Thronrede vorlesen zu lassen.

Zu dieser politischen Bevormundung des nationalen Parlaments paßt dessen langjährige provisorische Bleibe. Von
1871 bis zur Vollendung des Wallot-Baus im Jahr 1894 mußte der Reichstag mit dem Haus in der Leipziger Straße Nr. 4
vorlieb nehmen, das zuvor der Königlichen Porzellanmanu-
faktur gehört hatte. Zwar beschloß die nationale Volksvertretung schon 1871 «die Errichtung eines den Aufgaben des
deutschen Reichstages entsprechenden und der Vertretung
des deutschen Volkes würdigen Reichstagshauses». Doch
erst am 6. Dezember 1894 zog er in den Monumentalbau am
Königsplatz ein. Finanziert wurde er aus der von Frankreich
zu zahlenden Kriegsentschädigung.

Daß sich Planung und Bau des Reichstagsgebäudes über
die gesamte Regierungszeit Bismarcks hinzogen und in die
Anfänge der Wilhelminischen Ära hineinreichten, ist nun
keineswegs nur Ausdruck unvermeidlicher Verzögerungen
bei solch aufwendigen Bauprojekten. Auch die Machtver-
hältnisse der Monarchie werden darin sichtbar. Schon im
Parlament des Norddeutschen Bundestages trat der Konflikt
zutage. Bismarck und der Chef des Kanzleramtes, Rudolf
Delbrück, wollten das neue Reichstagsgebäude zunächst im

«administrativen Centrum» der Wilhelmstraße haben, gewissermaßen unter Regierungsaufsicht. Die in der Reichsgründungsphase dominierende Nationalliberale Partei forderte, das Parlamentshaus müsse städtebaulich herausgehoben und in «monumentalem Stile ausgeführt» werden, gleichsam als «Schlußstein der deutschen Einigung». Die aus Reichstag, Bundesrat und preußischer Regierung gebildete Kommission konnte bereits im Mai 1872 den international ausgeschriebenen Wettbewerb abschließen. Aber der preisgekrönte Entwurf von Ludwig Bohnstedt ließ sich nicht durchsetzen. Als noch schwieriger erwies sich die Standortfrage. Nach langwierigem Hin und Her zwischen Reichsleitung und Reichstag wurde schließlich doch der ursprüngliche Standort am östlichen Spreebogen beschlossen. Der zweite, nur noch national ausgeschriebene Wettbewerb führt zur Annahme des Entwurfs von Paul Wallot. Mit der kaiserlichen Zustimmung vom 5. 12. 1883 konnte die Bautätigkeit beginnen.

Als Gegner des zunächst dominierenden Nationalliberalismus, der unitarischen Reichspolitik und der Traditionslosigkeit der neudeutschen Staatsnation standen Zentrum und Konservative dem Aufwand für einen Monumentalbau eher ablehnend gegenüber. Erhebliches Gewicht hatte die Position Bismarcks. Für einen Parlamentsbau war er zunächst aufgeschlossen. Die innenpolitische Wende von 1879 und der für ihn bedrohliche Machtzuwachs der oppositionellen Parteien veränderten seine Einstellung. Aus Sorge vor einer Wiederholung der revolutionären Ereignisse von 1848 drohte er mit dessen Verlegung nach Potsdam. Es kam auf das Machtwort des Kaisers an.

Zehn Jahre nachdem Wilhelm I. in einer pompösen Zeremonie den Grundstein gelegt hatte, setzte sein Enkel Wilhelm II. den Schlußstein. Wieder bekam der politisch-symbolische Gründungsakt ein monarchisch-militärisches Gepräge. Die kritische Presse ließ das nicht unbeanstandet. Der Reporter des Berliner Tageblatts hatte nur «ein Gewoge

und Geglitzere von Uniformen» wahrgenommen, wie «ein
Aehrenfeld», in dem hie und da «schwarze Punkte» auf-
tauchten – bürgerliche «Abgeordnete im Frack». Als skanda-
lös aber wurde bewertet, daß der Präsident des Reichstages,
Herr von Levetzow, die Uniform eines Landwehrmajors an-
gelegt hatte und nicht bürgerlich-zivil gekleidet war, im
«Gewand des freien Mannes».

Auf Kritik stieß aber nicht nur die Kleidung vieler Abgeordneter. Auch ihre monumentale Arbeitsstätte fand keineswegs ungeteilten Beifall. Daß Wilhelm II. den Bau als «Gip-
fel der Geschmacklosigkeit» bezeichnete, hatte seinen Grund
vordergründig in einer persönlichen Animosität gegen den
Architekten Paul Wallot, der wiederholt Interventionen des
Kaisers selbstbewußt zurückwies. Wichtiger war aber wohl,
daß sich für den Kaiser die Reichseinigung in der Einheit aus
Schloß, Dom und dem Denkmal des Reichsgründers, seines
Großvaters, verkörperte. Ein Parlamentsbau als Manifestation der Volksrepräsentation, das paßte nicht in dieses Bild.
Damit konnte ja nur ein eigener, die Monarchie bedrohender
Souveränitätsanspruch in Erscheinung treten. Eine dritte
Kuppel für die Volksvertretung, das mußte als Angriff auf
das Macht- und Pathosmonopol von Thron und Altar verstanden werden. Zwischen beiden Staatsbauten bestand
demnach von Anfang an eine politische Symbolkonkurrenz,
die beständig auf den latenten Spannungszustand zwischen
monarchischem und parlamentarischem Prinzip verwies.

Das Deutsche Kaiserreich hat mit dem Reichstagsgebäude
sein bedeutendstes politisches Bauwerk im Stil internationaler Neurenaissance errichtet. So wurde im letzten Drittel
des Jahrhunderts auch in Wien und Paris gebaut. Die von
Charles Garnier errichtete *Grand Opéra* hat Wallot besonders beeindruckt. Sie sei für ihn, schrieb er seinem Freund
Friedrich Bluntschli, wie «das sprühende Leben». Als unter
dem Einfluß Wilhelms II. zu Beginn der 1890er Jahre die
Neuromanik in Mode kam, wunderte sich der Berliner Ar-

chitekt, «daß wir ein nationales Bauwerk bauen, ohne daß wir einen nationalen Stil besitzen». Im übrigen erwies sich das Gebäude mit einer Länge von knapp 140 Metern und einer Breite von gut einhundert Metern im Vergleich etwa zu den gewaltigen Parlamentsbauten in Budapest und London als eine Volksvertretung von eher bescheidenen Ausmaßen.

Gleichwohl, so maßvoll und international-modern der Reichstag aus damaliger Sicht erscheinen mußte, in ihm verkörperte sich doch eine nationale und auch eine neue gesellschaftliche Machtdemonstration. Das Reich trat aus dem Schatten Preußens heraus und war bemüht, sich den großen Nachbarstaaten gleichrangig darzustellen. Noch ging es nicht um nationale Exklusivität, sondern um internationale Ebenbürtigkeit. In den Jahrzehnten der Reichsgründung war es das nationalliberale Bürgertum, das seiner wachsenden Prosperität selbstbewußt und repräsentativ Ausdruck gab, insbesondere in den nun zahlreich errichteten Bauten des Handels, der Industrie und Kultur.

Das stadtbürgerlich-repräsentative Element trat allerdings nur im Innern des Reichstags in Erscheinung. Dort dominierte traditionelles Kunsthandwerk im Stil der deutschen Renaissance des 16. und 17. Jahrhunderts, wie sie aus vielen deutschen Rathäusern und Rathauskellern zwischen Augsburg und Hamburg bekannt ist. Hinter dem historistischen Interieur verbarg sich allerdings modernste Technik mit zentraler Heizungs- und Belüftungsregulierung. Die in die Geschosse eingehängte Stahlkonstruktion der Bibliothek galt als technisches Meisterwerk, als Ausweis nationaler Spitzenleistung, während die kassettierten Holzdecken und die Eichenholztäfelung in den Sitzungsräumen und Büros als «typisch deutsch» gerühmt wurden. Das mit spätgotischem Rankenwerk geschmückte Gewölbe des Bräukellers konnte geradezu als Inbegriff «deutscher Gemütlichkeit» gelten.

Reichhaltig und handwerklich-kunstvoll fand Holz auch

im Plenarsaal Verwendung. Dessen große Höhe verlangte dieses Material allerdings auch der besseren Akustik wegen. Hölzerne Säulen und Halbkaryatiden, die «Kunst und Wissenschaft», «Justiz und Kirche», «Industrie und Verkehrswesen», «Handel und Schiffahrt», «Ackerbau und Hausindustrie» darstellten, stützten die logenartig vorgebauten Tribünen. Ein umlaufender Fries trug die Wappen aller deutschen Länder, über denen – in der Glasmalerei des Oberlichtes – der Reichsadler seine Schwingen ausbreitete. So erinnerte der Plenarsaal an die Tradition deutscher Rathäuser und unterstrich das Gewicht der historischen Grundlagen des Reiches, die regionalen Zentren in der reichsföderalen Struktur Deutschlands. Auf die monumentale und kalte Pracht des herrschaftlichen Marmors konnte und mußte hier verzichtet werden zugunsten eines intimeren und wärmeren Interieurs, das dem maßvollen Repräsentationsstil der großen Bürgerhäuser entsprach und dem Reichstag im Innern einen besonderen Charme verlieh, mit dem die späteren Neuerer bedenklich rücksichtslos umgegangen sind.

Für das gleichwohl unsichere und umstrittene Selbstverständnis des Hauses scheint es bezeichnend zu sein, daß der symbolisch wichtigste Platz im Plenarsaal, die Stirnseite hinter dem Stuhl des Parlamentspräsidenten, bis in die Weimarer Zeit leer blieb. Als sei der Reichstag lange unschlüssig geblieben, welches Bild sein Selbstbild am besten zum Ausdruck bringen könnte: eine Darstellung der Reichseinigungskriege, der Versailler Reichsgründung oder der vormärzlichen Nationalversammlung.

Zunächst sollte Anton von Werner ein Bild von der Ausrufung des Deutschen Reiches im Januar 1871 in Versailles anfertigen. Aber das Projekt blieb unrealisiert. Nach mehreren Jahren wurde mit einem beschränkten Wettbewerb ein neuer Versuch gemacht. Aus ihm ging der Münchener Sezessionist Angelo Jank mit einem Sedanbild als Sieger hervor. Es sorgte im In- und Ausland für erhebliche Irritation.

Auf dem nicht erhaltenen Gemälde soll das Pferd Kaiser Wilhelms die französische Trikolore zertreten haben, was in Frankreich als Affront aufgefaßt, aber auch von Reichstagsabgeordneten abgelehnt wurde.

Was innerhalb des Plenarsaals durchaus umstritten war, ließ sich außerhalb der Sitzungsräume sehr viel leichter in Szene setzen. Nach außen demonstriert der Bau nationale Größe und Einigkeit. Schon der Grundriß symbolisiert das Grundmuster einer gleichsam hierarchisch gegliederten Einheit. Die Ecktürme stehen für die vier Königreiche: Preußen, Bayern, Sachsen und Württemberg. Über allem, auf der Spitze der Kuppel, die Kaiserkrone – umgeben von den zahlreichen Wappen deutscher Staaten und Städte, Ausdruck des spannungsreichen Verhältnisses von reichsföderaler Vielheit und Einheitsstiftung aus monarchischer Macht und Zentralgewalt.

An prominenter Stelle, über dem zum Königsplatz gewandten Portikus, befand sich eine reitende Germania, eine im 19. Jahrhundert überaus beliebte Symbolfigur. Sie wurde zweifach begleitet: von einem Mann als personifiziertem Krieg und einer Frau als personifiziertem Sieg. So waren die nächst der Kuppelkrönung prominentesten Plätze des Hauses mit den wichtigsten Symbolen des Reiches besetzt. Der Rückbezug auf die deutsche Geschichte kam nur an wenigen Stellen zum Ausdruck. In der südlichen Eingangshalle, dem Haupteingang der Abgeordneten, erinnerten die Statuen von acht deutschen Kaisern und Königen an das erste deutsche Kaiserreich. Diese Ahnengalerie sollte in der Nordeingangshalle, die dem Publikum und der Presse vorbehalten war, um herausragende Repräsentanten der Geistes- und Kulturgeschichte ergänzt werden. Man dachte an Luther, Bonifazius, Kepler und Einhard. Über die Idee kam keine Einigung zustande.

So sprach der künstlerische Bildschmuck im und am Reichstag vor allem von militärischer Stärke, monarchischer

Macht und deutscher Größe, von deutschem und europäischem Geist sprach er nicht. Und nicht einmal andeutungsweise berief er sich auf die vormärzlichen Vorkämpfer deutscher Einheit und Freiheit. Auch über seine politische Zweckbestimmung und Legitimation schwieg er. Die Steintafel unter dem Giebelfeld des westlichen Portikus blieb bis kurz vor Kriegsende leer. Wallot wollte die Inschrift «Dem Deutschen Volke», was aufreizend verdächtig nach Volkssouveränität klang und im übrigen an den machtpolitischen Grundkonflikt erinnerte. Der Kaiser bevorzugte denn auch «Der Deutschen Einigkeit». Der Historiker Heinrich von Sybel hielt jede Inschrift für unschicklich und empfahl, über den Eingang lediglich «Deutscher Reichstag» zu schreiben, um den «Vorübergehenden zu avisieren, daß hier kein Confectionslager existirt». Das Berliner Tageblatt druckte einen Leservorschlag ab: «Dem deutschen Volke – ist der Eintritt verboten». Dabei beließ man es. Erst kurz vor Weihnachten des vierten Kriegsjahres wurde die Genehmigung zur ursprünglichen Inschrift erteilt und mit ihrer Formgebung der Berliner Architekt Peter Behrens beauftragt. Für das Material der Bronzebuchstaben benutzte man auf Vorschlag der Reichskanzlei Beutekanonen.

Diese symbolpolitische Korrektur kam spät. Längst hatten sich die gesellschaftlichen Verhältnisse geändert und das Volk begonnen, seine neue Rolle einzuüben, die des Souveräns. Im März 1910 demonstrierten Zehntausende für die Abschaffung des Dreiklassenwahlrechts. Der Arbeitersängerbund nahm auf der großen Freitreppe Aufstellung und ließ die Arbeitermarseillaise erklingen. Aber erst im Herbst 1918 kam die Wende. Jetzt beschloß der Reichstag jene schon erwähnte Verfassungsänderung, die das Reich zu einer parlamentarischen Monarchie nach englischem Vorbild machte. Aber nun war es zu spät und die Monarchie nicht mehr zu retten, so sehr dies selbst von führenden Sozialdemokraten zunächst gewünscht wurde.

Am 9. November überstürzten sich die Ereignisse: Die Monarchie fiel, und die Republik versuchte gleich zweimal zur Welt zu kommen. Zwischen Schloß und Reichstag war eine erregte, erwartungsvolle Menschenmenge unterwegs. Der eine Teil demonstrierte für eine sozialistische, der andere für eine demokratische und deutsche Republik. Im Reichstag befanden sich nur wenige Abgeordnete, unter ihnen Scheidemann, Ebert und Prinz Max von Baden, der dem SPD-Vorsitzenden inzwischen formlos das Reichskanzleramt übertragen hatte.

Als der Ruf ertönte: «Liebknecht will vom Schloßbalkon die Sowjetrepublik ausrufen», und die Menge von Scheidemann, der als Sozialdemokrat auch kaiserlicher Staatssekretär war, verlangte: «Du mußt reden zum Volk», ging dieser an den Balkon und rief – den genauen Wortlaut kennen wir nicht – der erwartungsvollen Menge zu: «Der unglückselige Krieg ist zu Ende … Der Kaiser hat abgedankt. Er und seine Freunde sind verschwunden. Über sie hat das deutsche Volk auf der ganzen Linie gesiegt. Der Prinz von Baden hat sein Reichskanzleramt dem Abgeordneten Ebert übergeben … Das Alte und Morsche, die Monarchie ist zusammengebrochen. Es lebe das Neue, es lebe die deutsche Republik!»

Jetzt erst, erst in diesem denkwürdigen Augenblick, haben die Volksvertreter den Reichstag zu ihrem Haus gemacht. Erst jetzt gehörte der Reichstag dem deutschen Volke. Diese Szene, Scheidemann und das ihm zuwinkende Volk, ist zu einem der wohl schönsten Bilder des Reichstages geworden, eine Ikone der Republikgründung. Die Sozialdemokratie hat es – in der Tradition der ‹lebenden Bilder› – auf vielfältige Weise popularisiert.

Aber unumstritten war Scheidemanns entschlossenes Handeln nicht einmal in den eigenen sozialdemokratischen Reihen. Als Ebert davon erfuhr, soll er vor Zorn dunkelrot geworden sein und seinen Parteifreund angeraunzt haben: «Was aus Deutschland wird, ob Republik oder was sonst, das entscheidet eine Konstituante!» So recht er hatte, der Vorsitzende des Rates der Volksbeauftragten verkannte in diesem Augenblick, wie wichtig es symbolisch war, daß Scheidemann vom Reichstag aus die Republik ausgerufen hatte. Der Weg zur verfassunggebenden Nationalversammlung erschien mehr als unsicher und unübersichtlich. Bis die Nationalversammlung am 19. Februar in Weimar unter dem Schutz der Truppen des Generals Maercker zusammentreten konnte, verging ein turbulentes Vierteljahr, wurden blutige Kämpfe ausgetragen, und es war ungewiß, ob Deutschland eine sozialistische Diktatur oder eine parlamentarische Demokratie werden würde.

So wurde die Verfassung im Nationaltheater beschlossen, im Schutz des Goethe-Schiller-Doppeldenkmals. Als wäre die politische Nation auf ihren Ursprung, die Kulturnation, zurückgeworfen. Ein Tempel der deutschen Klassik diente als Parlamentsbau, was den wilhelminischen Reichstag vorübergehend zu seinem Gegenbau machte! Es wurde sogar ein Freikorps «Regiment Reichstag» gebildet. Als Anfang Januar 1919 der Spartakus-Aufstand begann, griffen Regierungstruppen vom Dach des Reichstages mit Maschinengewehrfeuer in die Kämpfe um das Brandenburger Tor ein. Ende Juli 1919 kehrten die Abgeordneten nach Berlin zurück. Aber die Verhältnisse blieben unsicher. Im Januar 1920 kam es anläßlich der Beratung des Betriebsrätegesetzes zu blutigen Auseinandersetzungen vor dem Reichstag, die 42 Tote forderten. Zwei Monate später mußten Reichstag und Regierung abermals die Hauptstadt verlassen, um sich vor dem rechtsextremistischen Kapp-Putsch, der allerdings nach wenigen Tagen zusammenbrach, in Sicherheit zu bringen.

Aber nicht nur die revolutionären und gegenrevolutionären Kräfte bedrohten den Bau. Auch die Architekten rückten ihm zu Leibe. Glücklicherweise blieb es angesichts knapper Kassen und knapper Zeit bei Erweiterungsplanungen. Die wohl ausgefallenste Idee stammte von Bruno Taut, der das geschmähte Gebäude mit einem Erweiterungsbau in der Art einer Festungsmauer umgeben wollte und ihn zugleich unsichtbar gemacht hätte. Das war ganz unpolitisch gemeint, aber angesichts der Verhältnisse nicht ohne politischen Hintersinn.

Die Republik kam angesichts des latenten Bürgerkrieges nicht zur Ruhe. Nicht zuletzt die symbolpolitischen Debatten und Demonstrationen im Reichstag zeigten seine Schwäche und die Gefährdung der Republik. Hymne und Flagge waren so umstritten wie ein Reichsehrenmal für die Weltkriegstoten. Auch auf einen nationalen Feiertag konnten sich Reichsregierung und Länder nicht einigen.

Mehrfach geriet der Reichstag zur Bühne großer Staatstrauerfeiern, erschienen diese Veranstaltungen als Menetekel des drohenden Untergangs der Republik und zugleich als massenhafte Demonstrationen für ihre Selbstbehauptung. In vielen deutschen Großstädten gingen Hunderttausende unter schwarz-rot-goldenen Fahnen auf die Straße. So war es nach dem Attentat auf Rathenau 1922, und so war es nach dem Tod von Ebert 1925 und Stresemann 1929.

Auch im Innern des Reichstages wurde nach Kräften Flagge gezeigt. Die Verfassungsfeiern am 11. August erinnerten Jahr für Jahr, jedenfalls in Berlin, an die Grundlagen und Ziele des demokratischen Verfassungsstaates. Aber auch hier war die Republik bekanntlich nicht unumstritten. Als Eberts Nachfolger, der greise kaiserliche Feldmarschall von Hindenburg, vereidigt wurde, wehten vor dem Reichstag neben der Fahne der Republik bereits die schwarz-weiß-rote der Monarchie und die Reichskriegsflagge mit dem Eisernen Kreuz. Der tiefe Riß, der durch die Republik ging, kam nicht zuletzt in den Reichstagsbildern der politischen Satire zum Ausdruck.

John Heartfield zeigt in einer auf die doppeldeutige Zahl ‹48› anspielenden Montage einen Reichstag ohne Abgeordnete, aber mit den Symbolen der herrschenden Machtgruppen: Eine Republik, die sich nicht mehr auf das Parlament, sondern auf die Sondervollmachten und Notverordnungen des Präsidenten stützt, bedeutete zugleich die Preisgabe des Vermächtnisses von 1848. Mit der Septemberwahl und dem erdrutschartigen Erfolg der NSDAP wurde der Reichstag zum Symbol der todgeweihten Republik, die ihre Volksvertretung selbst zu Grabe trägt. Heartfield wählte dafür den 30. August 1932, als die NSDAP mit 230 Mandaten stärkste Fraktion und Hermann Göring Reichstagspräsident geworden war.

Dann der Reichstagsbrand: Am Abend des 27. Februar 1933 schlugen Flammen aus der hohen Kuppel – ein düsterer Vorschein auf Kommendes. Die verlogenen Nazis aber machten den Brand zum Fanal eines drohenden «kommunistischen Aufstands» – eine hochwillkommene Legitimation, gegen ihre Widersacher vorzugehen. Noch in derselben Nacht wurden rund 5000 Kommunisten und Sozialdemokraten im ganzen Land verhaftet.

Am 23. März hielt der SPD-Vorsitzende Otto Wels seine mutige Rede gegen Hitlers Ermächtigungsgesetz, eine Sternstunde des nationalen Parlaments, das diesen Namen allerdings schon nicht mehr verdiente und zudem zwangsweise in die gegenüberliegende Kroll-Oper umgezogen war. Dem als Institution bedeutungslos gewordenen und beschädigten Bau drohten nun vor allem von außen Gefahren. Zunächst durch Speers gigantomanische Pläne für die Welthauptstadt ‹Germania›. Wenn er auch nicht mehr benötigt wurde. Er blieb erhalten.

Am Ende des Krieges machten die Sowjets den zur Festung ausgebauten und schwer zerstörten Reichstag zum «Symbol für Hitler und den Nationalsozialismus». Durch den Reichstagsbrandprozeß gegen Marinus van der Lubbe und die mitangeklagten Komintern-Funktionäre um Georgi Dimitroff und den KPD-Fraktionsvorsitzenden Ernst Torgler war der Reichstag in der Sowjetunion sehr viel bekannter als

Das tote Parlament

DAS BLIEB VOM JAHRE 18**48** ÜBRIG!
So sieht der Reichstag aus, der am 13. Oktober eröffnet wird.

John Heartfield: Das tote Parlament

Hitlers Reichskanzlei. Am 30. April hißten zwei sowjetische Soldaten die Rote Fahne über der ausgebrannten Kuppel des Reichstages. Das Foto erschien schon am 1. Mai 1945 in der Prawda, also noch vor der Kapitulation.

In der Trümmerwüste zwischen Tiergarten, der zer-

Der Reichstagsbrand vom 27. Februar 1933

bombten Kroll-Oper und dem schwer beschädigten Brandenburger Tor, nun als Schafweide, Schrebergarten und Kar-
toffelacker genutzt, ging von der Ruine des Reichstagsbaus
eine außerordentliche Wirkung aus. Hans Scharoun, der Leiter des Berliner Bauamtes, setzte sie auf die Liste der
instandsetzungsfähigen Großbauten, was noch nicht ihre
Rettung bedeutete.

Denn der Raumbedarf in der zerstörten Stadt war groß.

So begann man mit der Enttrümmerung und Instandsetzung der Ruine, die hart an der Zonengrenze, aber glücklicherweise noch im britischen Sektor lag. Auch eine Intervention des abrißfreudigen Werkbundes beim Minister für Gesamtdeutsche Fragen scheiterte. Jakob Kaiser war entschieden anderer Meinung. Energisch setzte sich auch Eugen Gerstenmaier für einen Wiederaufbau des Reichstagsbaus ein, ungeachtet dessen späterer Verwendung. Denn, so der Bundestagspräsident, das «deutsche Volk» sei «arm an sichtbaren Symbolen geworden».

Weil Einsturzgefahr bestand, wurde 1954 die 400 Tonnen schwere Glas-Eisenkuppel gesprengt, seinerzeit als Glanzstück deutscher Ingenieurbaukunst gefeiert. Ein Jahr später schrieb der Bundestag den Ideenwettbewerb «Hauptstadt Berlin» aus und zugleich einen Sonderwettbewerb «Wiederherstellung des Reichstagsgebäudes». In ihm setzte sich der Berliner Architekt Paul Baumgarten durch – gegen prominente Mitbewerber wie Hans Döllgast, Wassili Luckhardt und Rudolf Schwarz. Baumgarten, der funktionalistischen Dynamik und Eleganz eines Erich Mendelssohn verpflichtet, wollte aus dem Reichstag ein Glashaus für die Republik machen, vergleichbar dem Bundestagsumbau durch Hans Schwippert in Bonn. Ungeachtet aller kleinmütigen Kritik war dieser bereits so etwas wie das Bonner «Schaufenster der Demokratie» (Heinrich Wefing) geworden. Und das in einem doppelten Sinne. Politik, durch den Nationalsozialismus verhunzt, sollte wieder ansehnlich werden, und der politische Prozeß transparent und kontrollierbar. Das war ein baulich und materialästhetisch zum Ausdruck gebrachter Anspruch an den politischen Neuaufbau, mehr nicht, und als solcher kein geringer.

Was bei der ehemaligen, im Bauhausstil gebauten Pädagogischen Akademie am Rheinufer nicht allzu schwierig war, machte beim Reichstagsbau massive Eingriffe in die Bausubstanz erforderlich. Baumgarten ging von ähnlichen Überlegungen aus, die der erinnernden Neugestaltung der Paulskirche durch Rudolf Schwarz zugrunde lagen: eine Synthese aus gezeichneter Ruine und einem schlichten, hellen Neubau.

Die größte Veränderung nahm Baumgarten allerdings im Innern des Gebäudes vor. Dessen westliches Hauptportal zwischen dem wuchtigen Säulenportikus riß er auf und verglaste es, um so Licht und Raum für die große Empfangshalle zu schaffen. Ähnliches geschah mit der östlichen Eingangsseite und dem Kaiserportal, das bis 1918 ausschließlich Mitglieder des Hofes passieren durften. Dort, unmittelbar gegenüber der etwa drei Meter hohen DDR-Mauer, wurde – man mag darin eine Art demonstrativer Geste sehen – wiederum ein gläsernes Eingangsportal geschaffen, durch welches das Publikum auf die Tribünen des Plenarsaals gelangen sollte. Der Architekt hatte von Anfang an darauf bestanden, auch diesen umzugestalten. Nach langwierigen Auseinandersetzungen konnte der neue Plenarsaal, der nun etwa doppelt so groß war wie der ursprüngliche, erst Ende 1969 fertiggestellt werden. Er glich mit seinen pultlosen Sitzreihen in gestufter Hufeisenform eher einem Konzert- oder akademischen Vortragssaal als einem Parlamentsplenum. Mancher sah in dem zumeist leerstehenden Raum auch ein Hoffnungszeichen, daß an diesem, allein legitimen Ort eines Tages wieder «das Parlament eines freien, einigen Deutschland» tagen würde.

Jahrzehntelang hatte es geheißen, daß mit den Bonner Staatsbauten kein Staat zu machen sei. Nie wieder, so verlangte es der antitotalitäre Grundkonsens in seiner ästhetischen Variante, sollte der staatliche Akteur Menschen einschüchtern, ausgrenzen oder eine Herrschaftsordnung sich in ihnen überhöhen. Nie wieder sollten Worte aus Stein, wie jene Hitlers und Speers, von zerstörerischer Macht und Unrechtsherrschaft künden. Die Glashäuser und Pavillons, wie beispielsweise der für Ludwig Erhard gebaute Kanzlerbungalow (Sepp Ruf) in Bonn oder das Bundesverfassungsge

richt (Hans Schwippert) in Karlsruhe, waren als Gegenbau-
ten zur NS-Staatsarchitektur Symbole der neuen, post- bzw.
antitotalitären politischen Ordnung. Gewiß, Politik wurde
durch den Rückgriff auf die Bauhaus-Moderne weder ver-
ständlicher noch demokratischer. Aber dieser Baustil sorgte
doch für eine Distanz, indem er einerseits die Gigantomanie
der Staats- und Parteibauten im visuellen Gedächtnis zu-
rückdrängte, und andererseits Bilder der Bunker und Barak-
ken mit ihren deprimierenden Erinnerungen an die Zeit des
Krieges und der Lager vergessen machen konnte.

Der zweite rigorose Modernisierer des Reichstages, der
britische Architekt Norman Foster, hat, als wollte er nach der
Wende des Jahres 1989 beweisen, daß auch ohne die Last und
den Ballast der Geschichte mit diesem Bau für die Berliner
Republik Staat zu machen sei, noch einmal nicht weniger als
45 000 Tonnen Marmor, Stein und Eisen aus dem Gebäude
herausgeschabt. Mit seiner gläsernen Decke und den zwei
raumhohen Glaswänden erreicht der Bau eine Offenheit und
Durchsicht, die weit über die des Umbaus durch Baumgarten
hinausgeht. Das Risiko, daß die gläserne Kuppel eine bloß
repräsentative Geste werden könnte, ein Zitat vergangener
reichsnationaler Zeiten, hat der Architekt durchaus gesehen
und dadurch vermieden, daß er sie gleich zweifach funk-
tionsfähig gemacht hat. Sie ist begehbar und lenkt durch
eine verspiegelte Spindel Tageslicht in das tieferliegende Plenum, die zugleich – den thermischen Auftrieb nutzend – die
verbrauchte Luft aus dem Plenum absaugt. Und damit erst
gar kein Zweifel aufkommen kann, wer in diesem Haus der
Volksvertreter den höchsten Rang einnimmt, läßt der Architekt den Souverän, das Volk eben, in einem Einfall spieleri-
scher Ironie, hoch hinauf in die Kuppel spazieren, also fast
bis in den Himmel, von dem einmal alle politische Macht zu
kommen schien, so lange jedenfalls, wie der Legitimations-
philosophie irdischer Gottesgnadenmonarchen Glauben geschenkt wurde.

Foster hat den Reichstag aber nicht nur umgebaut und entkernt, er hat auch viele Spuren erhalten: Zerstörungen, Brandspuren und die Graffiti der siegreichen Rotarmisten. An den Umbau durch Baumgarten, seinerseits Ausdruck eines geschichts- und symbolvergessenen Zeitgeistes, erinnert allerdings nichts mehr. Gleichwohl ist der neue Reichstag nicht ohne memoriale Qualität und Funktion. Der lichterstrahlende Glanz der Kuppel erinnert noch an sein Gegenbild, den Feuerschein der brennenden Reichstagskuppel von 1933. An diese Zeit, und daß von den rund 1800 Abgeordneten der Weimarer Jahre mehr als ein Drittel verfolgt, vertrieben oder ermordet wurde, erinnern seit Anfang der neunziger Jahre vor allem zwei Mahnmale: die großformatige Fotoarbeit von Katharina Sieverding an der Stirnseite des Philipp-Scheidemann-Raumes mit Gedenkbüchern für die Dokumentation der Einzelschicksale und das von einer Studentengruppe der Hochschule der Künste um Dieter Appelt geschaffene Mahnmal am südlichen Vorplatz des Reichstages: 97 gußeiserne, bruchstückhaften Schiefertafeln ähnelnde und aneinandergereihte Platten, auf denen jeweils der Name eines von den Nazis getöteten Reichstagsabgeordneten eingraviert ist. Ein unscheinbares Erinnerungszeichen am Fuße dieses Monuments. Man muß etwas wissen von der Geschichte dieses Erinnerungsortes, um sie wahrnehmen zu können.

DIE NEUE WACHE

Für alle Opfer der Gewalt?

In mancher Hinsicht erscheint die Neue Wache wie ein Anschlußprojekt zum Brandenburger Tor. Dieses war zwar bereits 1791 eingeweiht worden, wurde aber eben doch erst 1814 mit der wiederaufgestellten und modifizierten Quadriga in seiner zeittypischen Form und Aussage vollendet und rückt deshalb auch zeitlich in die Nähe der Errichtung der Neuen Wache. Wieder geht es um die Erhebung gegen Napoleon und die symbolische Würdigung der Befreiung. Wieder sind Friedrich Wilhelm III. und Karl Friedrich Schinkel die maßgeblichen Akteure.

Der preußische König beauftragte 1816 seinen Geheimen Oberbaurat, der sich in der nachnapoleonischen Zeit auch mit Entwürfen für das Kreuzbergdenkmal und einen Dom zur Erinnerung an die Befreiungskriege beschäftigen mußte, das alte Wachgebäude im Kastanienwäldchen durch einen repräsentativen Neubau zu ersetzen.

Die Neue Wache sicherte den erweiterten Schloßbereich, der als Gutsbezirk des Königs rechtlich aus der Stadt ausgegliedert war und Schutz vor Massenaufständen bieten sollte, mit denen man seit der Französischen Revolution in Berlin rechnete. Nach mehreren, des öfteren auch vom König korrigierten Skizzen legte Schinkel einen Entwurf vor, der dem späteren Bau weitgehend entsprach: ein massiver, rechteckiger Bau mit vier Ecktürmen, aus dem eine Pfeilerhalle mit sechs Achsen und flachem Giebel herausspringt.

Schinkel stand dabei vor der städtebaulich reizvollen, aber nicht einfach zu lösenden Aufgabe, dem leicht zurückgesetzten Solitär mit seinem im Vergleich zu den benachbarten Gebäuden geringen Raumvolumen auch optisch eigenes Gewicht zu geben und ihn doch zugleich bruchlos einzufügen in das bedeutendste Bauensemble Unter den Linden, mit Zeughaus, Universität, Kronprinzenpalais und Oper.

Die schließlich gefundene Synthese aus römischem Castrum und griechischem Tempel betont einerseits eine gewisse Monumentalität dieses militärischen Funktionsbaus und relativiert sie zugleich. Schinkel folgte im übrigen einer Anregung von Heinrich Gentz, die dieser Jahre zuvor gegeben hatte. Das als Abschluß der Linden vorgesehene, inmitten der preußischen via triumphalis gelegene, früh geplante, aber erst 1851 eingeweihte Denkmal Friedrichs des Großen von Christian Daniel Rauch sollte durch dorische Säulenhallen eingerahmt werden – als demonstrativer Ausdruck einer nach außen gerichteten Geste männlicher und militärischer Stärke. Schinkel nahm also die dorischen Stilelemente auf, bezog das Forum Fridericianum so auch auf das Brandenburger Tor und gab der preußischen Prachtstraße auf diese Weise eine Geschlossenheit, die ihr zuvor fehlte.

Allerdings hatten sich mit der Erhebung gegen Napoleon und dem Sieg über ihn die politischen Verhältnisse grundlegend verändert und dem Brandenburger Tor, wie zuvor erwähnt, zu einer neuen Bedeutung verholfen. Die Rückeroberung der Quadriga und Schinkels Preußen-Panier setzten neue Akzente und verwandelten das Friedenstor in ein Siegestor. Dies wurde auch im Bildprogramm des Giebels der Neuen Wache sinnfällig. Es kam mit erheblicher Verzögerung, erst 1846, also unter Friedrich Wilhelm IV. zur Ausführung. Die im Gebälk über den Säulen ursprünglich vorgesehenen Kriegerköpfe wurden durch geflügelte Victorien ersetzt – für den respektlosen Berliner Volksmund waren das allerdings bloß «Fledermäuse».

Das nach Zeichnungen von Schinkel fertiggestellte Giebelfeld wiederholt das Thema der Victoria, die den Kampf zwischen zwei Kriegern entscheidet. Zu beiden Seiten Szenen der Trauer, des Verlustes, der Schutzsuche. Die Kriegs-

trophäen, mit denen Schinkel die Ecktürme schmücken wollte, wurden nicht aufgestellt. Sie blieben ebenso Entwurf wie
der Nationaldom für die Erinnerung an die Befreiungskriege. Statt dessen wurde auf dem Templower Berg ein nationales, gotisches Denkmal gebaut, das dem Berg und späteren
Stadtteil seinen heutigen Namen gegeben hat: Kreuzberg.

Von Anfang an hatte Schinkel die Absicht, um die Neue
Wache herum Statuen der prominenten Generäle der Befreiungskriege aufzustellen. Aber erst 1822, zum siebten Jahrestag des Sieges von Belle Alliance/Waterloo, wurden die ersten Statuen, wiederum von Rauch geschaffen, eingeweiht:
Leicht vorgerückt und dadurch besonders hervorgehoben,
flankieren sie das Wachgebäude, Bülow westlich, Scharnhorst
östlich der Neuen Wache. Die Reliefs der Sockel rühmen in
realistischen und allegorischen Szenen die Kriegstaten der
Feldherren. Die Inschriften, in denen Friedrich Wilhelm III.
die Denkmäler seinen Generälen widmet, sollen den An-
schein erwecken, daß sie treue und vorbildliche Diener des
Königs waren. Wenn sie es waren, dann doch in anderer Weise, als es dieses volkspädagogische Klischee glauben machen
will. Selbstbewußt, kritisch und loyal zugleich – haben sie
ihre Entscheidungen des öfteren auch gegen den Monarchen
durchsetzen müssen. Die Denkmäler vereinnahmten die Generäle umstandslos für die Krone und damit auch das re-
formpolitisch-bürgerliche Element, für das sie standen. Sie
ließen sich deshalb später, in anderen politischen Verhältnissen, nicht mehr ohne weiteres für volksdemokratische Interessen und Ideen in Anspruch nehmen. Vervollständigt wurde
die preußische Triumphstraße durch drei weitere Generals-
denkmäler gegenüber der Neuen Wache. 1826 folgten Blü-
cher, der volkstümliche «General Vorwärts», und 1855 ge-
sellten sich Gneisenau an seiner linken und Yorck von
Wartenburg an seiner rechten Seite dazu.

Ein Jahrhundert lang wurde von dort aus der Schloßbe-
zirk kontrolliert, war dies auch beim Berliner Publikum der

beliebte Ort militärischer Selbstdarstellung – mit Regiments-
paraden, Wachablösungen, salutierenden oder gar trommel-
schlagenden Soldaten, je nachdem, ob nur Generäle oder
Mitglieder der zunächst königlichen und dann kaiserlichen
Familie die Wache passierten. In den Arrestzellen saßen
nicht nur Straßendiebe und betrunkene Soldaten zur Aus-
nüchterung, sondern auch Revolutionäre von 1848. Unter
Kaiser Wilhelm II. ist die Neue Wache wiederholt für aufwendige Festdekorationen benutzt worden. 1897, zum einhundertsten Geburtstag seines Großvaters, Wilhelms I., ließ
der kostüm- und dekorationsversessene Enkel die Linden
vom Pariser Platz bis zum Lustgarten in eine riesige Thea-
terbühne verwandeln, mit vergoldeten Obelisken, Girlanden, Fahnen, Reichswappen und Germania-Skulpturen. Zu
Beginn des Jahrhunderts wurde in der Neuen Wache die
Zentralstelle des Militärtelegraphen und der Militärpost ein-
gerichtet. Von dort erging später auch der Aufruf zur Mobil-
machung und zur Demobilisierung des Ersten Weltkrieges.
Dann folgten Jahre einer kontroversen Diskussion über die
angemessene Nutzung dieses Bauwerks.

Anfang August 1924, anläßlich des zehnten Jahrestages
des Weltkriegsbeginns, schlug Friedrich Ebert vor, ein
Reichsehrenmal zu errichten, das «der Trauer um das Vergangene dienen und zugleich die Lebenskraft und den Freiheitswillen des deutschen Volkes verkörpern» sollte. Die
Frage des Standortes blieb zunächst offen. Wenig später legte die Kunsthistorikerin Frida Schottmüller einen ersten
Entwurf vor. Sie wollte die Neue Wache zum Reichsehrenmal machen, den Bau dazu vollständig entkernen und einen
schlichten, nur schwach beleuchteten, quadratischen Gedenk-
raum entstehen lassen, mit einem nicht zu großen Sarko-
phag in der Mitte, als Symbol für alle Deutschen, «die uns
der Krieg genommen hat». Als einziger Figurenschmuck war
eine Pietà vorgesehen. Dies hätte dem Raum den Charakter
einer Friedhofskapelle gegeben. Der Entwurf fand nicht nur

die Zustimmung von Edwin Redslob, dem Reichskunstwart und Regierungsbeauftragten für das Reichsehrenmal. Er hat unübersehbar auch Heinrich Tessenow beeinflußt. Nachdem Hindenburg Reichspräsident geworden war, wurde von seinem Amt verlangt, den Raum pantheonartig, heroisch zu gestalten. Dieser Vorschlag ließ sich nicht durchsetzen. Die Frontkämpferverbände lehnten einen innerstädtischen Standort überhaupt ab und verlangten, die nationale Gefallenengedenkstätte in der freien Natur zu errichten, abseits der lärmenden Großstadt.

In Berlin wurden alternative Lösungen in Erwägung gezogen. Wenn das Projekt schon nicht für das Reich zu realisieren war, dann sollte, wie Otto Braun, der sozialdemokratische Ministerpräsident Ende 1927 bekanntgab, zumindest ein preußisches Gefallenendenkmal in der Neuen Wache errichtet werden.

Im Frühjahr 1930 schrieben Reichsregierung und Preußische Regierung einen Wettbewerb aus. Die Aufgabe sollte «schlicht», «weihevoll» und dem «Ernst der Zeit» entsprechend gelöst werden. Mit Rücksicht auf das denkmalpolitisch hochkontroverse Projekt hatte man sowohl konservative Architekten wie auch Vertreter des Neuen Bauens eingeladen. Die Jury sprach sich mit knapper Mehrheit für den Entwurf von Heinrich Tessenow aus. Auch er hatte sich für einen geschlossenen, kubischen Innenraum entschieden. Im Zentrum seines Gedenkraums stand unter einem runden Oberlicht allerdings ein hoher, schwarzer Granitblock, der zunächst sarkophagartig gestaltet war, in der Ausführung später aber eine altarähnliche Form erhielt. Auf dem Monolith lag ein aus Goldblech gefertigter Eichenkranz, vor ihm befand sich eine Bronzeplatte mit den Jahreszahlen «1914/1918», flankiert wurde er von zwei großen Kandelabern. Tessenow veränderte auch den Außenbau erheblich, nicht nur durch die Einfügung des runden Oberlichts. Aus den seitlichen Fenstern machte er Blendfenster. Und von den fünf Achsen des vorderen Portikus mauerte er die beiden äußeren zu. Die drei mittleren wurden auf Dreiviertel ihrer ursprünglichen Höhe reduziert und durch Gittertüren geschlossen, die Tessenow eigentlich nur für besondere Anlässe öffnen wollte. Das Publikum sollte in diesen sehr altarähnlichen Raum nur hineinsehen, ihn aber nicht ohne weiteres betreten dürfen. Die Idee fand keine Zustimmung.

Gleichwohl befand die Jury, habe er die Wettbewerbsforderungen nach «Schlichtheit» und «Weihe» besonders gut umgesetzt. Man sprach von einer «zur Andacht zwingenden Feierlichkeit des Raumes». Mancher Architekturkritiker warnte vor der grundlosen Zerstörung einer der schönsten Schinkelarchitekturen, Bruno Taut sprach von «bloßer Pose». Die *Weltbühne* warf Tessenow vor, «ein Schönheitspflaster auf dem grauenvollen Antlitz unserer patriotischen Untaten» angebracht zu haben.

Erstaunlicherweise lobte ein so sachverständiger und kritischer Kommentator wie Siegfried Kracauer in der *Frankfurter Zeitung* die «gute Bescheidenheit» und den Verzicht auf alle «metaphysische Konterbande». Er übersah dabei allerdings, daß in diesem Raum mit dem offenen Oberlicht, den Kandelabern und dem Eichenkranz die «Elementarsymbolik der Rechten»(Hans Ernst Mittig) versammelt war. Der soldatische Totenkult nutzt traditionell Luft, Wasser, Feuer und Erde, um den Krieg als unvermeidliches, wiederkehrendes Naturereignis zu mystifizieren.

Daß diese Gedenkstätte ungeachtet ihrer deutungsbedürftigen und womöglich mißverständlichen Symbolik in der latenten Bürgerkriegssituation der späten Weimarer Republik nicht die ihr von der Preußischen Regierung zugedachte Wirkung entfalten konnte, zeigte sich bei der Einweihungsfeier am 2. Juni 1931. Unter den Gästen waren zwar Invaliden des Weltkriegs, aber keine Vertreter des «Stahlhelm», da das «Reichsbanner Schwarz-Rot-Gold» und der «Reichsbund jüdischer Frontsoldaten» eingeladen worden waren.

Reichspräsident von Hindenburg gab in seiner Rede gleichwohl der Hoffnung Ausdruck, das Ehrenmal werde die «innere Einigkeit» fördern. Auch der preußische Ministerpräsident Otto Braun hatte ein Zeichen der «inneren Einheit»
setzen wollen. Aber Revolutionäre, Republikaner und Rechte fanden dort wie anderswo nicht zusammen. Für die Linke
war Braun ein «Sozialfaschist», für die Rechte ein «vaterlandsloser, antinationaler» Mann.

Einmal mehr wurde im öffentlichen Totengedenken ein
folgenschwerer Geburtsfehler der Weimarer Republik offenbar. Einerseits mußte sie das nach innen autoritäre und
nach außen aggressive Kaiserreich vergessen machen, andererseits aber versuchen, soziale Kontinuität zu wahren und
aus dem ehrenden Gedenken der Kriegstoten Legitimität
und innere Aussöhnung zu gewinnen. Eben das gelang ihr
nicht, konnte ihr nicht gelingen. Die Gesellschaft der Weimarer Republik war über Vorgeschichte, Kriegsschuld,
Kriegsfolgen und Revolution tief zerstritten. So sehr sich die
republikanischen Kräfte auch um die symbolische Ehrung
der getöteten deutschen Soldaten bemühten, im vorherr-
schenden Verständnis der Zeit hatten die Gefallenen des
Weltkriegs ihr Leben für das Vaterland geopfert, für Kaiser
und Reich, aber eben nicht für die Republik.

Im lähmenden Streit zwischen der gespaltenen Linken
und dem heterogenen bürgerlichen Lager waren die Nationalsozialisten am Ende die lachenden Dritten. Sie hatten
keine Mühe, die Neue Wache unter geringfügigen Korrekturen dem Fundus des nationalsozialistischen Totenkultes
einzuverleiben. Um zum Ausdruck zu bringen, daß «wahres Christentum und heldisches Volkstum zusammengehö-
ren», was nationale und kirchliche Kreise gefordert hatten,
wurde an der Rückwand ein großes Eichenholzkreuz angebracht. Die Neue Wache hieß offiziell nicht mehr «Ge-
dächtnisstätte», sondern «Ehrenmal für die Gefallenen des
Weltkrieges». An diesem Ort sollten die Toten nicht mehr

beweint und betrauert, der Soldatentod vielmehr verherr-
licht werden.

Noch in den letzten Kriegswochen wurde die Neue Wache
schwer beschädigt. Heinrich Tessenow sprach sich nachdrücklich dafür aus, den zerstörten Bau so zu belassen und
nur abzusichern, denn «so ramponiert wie er jetzt ist»,
meinte er, «spricht er ja Geschichte». Nach provisorischer
Instandsetzung blieben die Kriegsschäden zunächst auch erhalten. Mitte der fünfziger Jahre beschloß der Magistrat von
Berlin die Umgestaltung der Neuen Wache zum «Mahnmal
für die Opfer des Faschismus und der beiden Weltkriege».
Ausführung und Koordination lagen bei Hermann Hensel-
mann, dem zuständigen Architekten und Städteplaner für
Ost-Berlin, der sich vergeblich darum bemühte, das Projekt
unter gesamtdeutscher Beteiligung zu realisieren. Als die
Neue Wache im Mai 1960 eingeweiht wurde, war Tessenows
Raumgestaltung weitgehend wiederhergestellt. Das Kreuz
hatte man allerdings ersetzt durch die über die Rückwand
laufende Inschrift «Den Opfern des Faschismus und Milita-
rismus». In der Mitte des Raums blieb der von Kriegsspuren
gezeichnete schwarze Granitblock stehen.

Daran änderte sich bis Ende der sechziger Jahre nichts.
Anläßlich des 20. Jahrestages ihrer Gründung bemühte sich
die DDR um eine neue Form der Selbstdarstellung, in die
auch die Neue Wache einbezogen wurde. Mit Staatswappen,
ewiger Flamme und Urnen für den Unbekannten Soldaten
und Unbekannten Widerstandskämpfer suchte sie, internationalen Gepflogenheiten zu entsprechen. Sie rückte damit
zugleich von der teilweise aufwendigen antifaschistischen
Denkmalästhetik der nationalen Mahn- und Gedenkstätten
in Buchenwald, Ravensbrück und Sachsenhausen ab. Seit
dem 1. Mai 1962 bezogen vor der Neuen Wache wieder
Wachsoldaten Posten – bis zum Ende der DDR am 2. Oktober 1990. Der regelmäßige Große Wachaufzug des Wachre-
giments «Friedrich Engels» der Nationalen Volksarmee, je-

den Mittwoch, pünktlich um 14.30 Uhr zu den Klängen des Präsentiermarsches, entwickelte sich im Laufe der Jahre zu einem bei der Bevölkerung beliebten Schauspiel.

Auch die Bundesrepublik mußte sich angesichts der Millionen Kriegs- und Gewaltopfer um eine angemessene Form des öffentlichen Totengedenkens bemühen. Ein Dauerprovisorium entstand – und ein Dauerproblem. Erst 1964 wurde auf dem Bonner Nordfriedhof ein repräsentatives, aber immer noch vergleichsweise bescheidenes ‹Bundesehrenmal› eingeweiht, bestehend aus einem etwa drei Meter hohen Kreuz, einem Steinblock mit Bronzetafel und der Inschrift «Den Opfern der Kriege und der Gewaltherrschaft». Die Einweihungsfeier fand allerdings nicht, wie man vermuten würde, am 8. Mai oder am 1. September statt, sondern am Vorabend des 17. Juni.

Aber die Diskussion ging weiter. 1983 konstituierte sich ein Kuratorium, das aus Vertretern mehrerer einschlägiger Interessenverbände bestand. Das vorgelegte Konzept für die Errichtung einer nationalen Gedenkstätte für die Kriegstoten des deutschen Volkes fand – wie zu erwarten war – keinen ungeteilten Beifall. Auf einem außerparlamentarischen Bonner Forum im Herbst 1984 wurde der Vorschlag abgewiesen. Auch Bundesbauminister Schneider distanzierte sich zunächst. Er wies darauf hin, daß es sich bei dem geplanten Mahnmal um kein «herkömmliches Krieger-, Helden- oder Ehrenmal» handeln könne. Überlebende und Hinterbliebene des deutschen Widerstands hielten ein solches Mahnmal für «nicht realisierbar, wenn zwischen Kriegsopfern und politischen Opfern etwa des Widerstands oder des Holocausts keine prinzipielle Unterscheidung getroffen wird».

Dem widersprach der damalige Vorsitzende der CDU/CSU-Bundestagsfraktion, Alfred Dregger, in der Bundestagsdebatte vom 25.4.1986 mit dem Argument, man dürfe und könne «die Toten unseres Volkes nicht nach Spruchkammerkategorien in Gerechte und Ungerechte einteilen» –

und benutzte damit zugleich ein zumindest in der älteren Generation noch verbreitetes Ressentiment gegenüber dem gescheiterten Versuch alliierter Entnazifizierung. Der Vertreter der Jüdischen Gemeinde in Bonn empfahl, auf ein zentrales Denkmal zu verzichten. Und die Fraktion der Grünen forderte, der Bundestag möge beschließen, daß die «Bundesrepublik Deutschland überhaupt kein ‹Nationales Mahnmal›» benötige. «Ausländische Staatsgäste, die in Bonn durch Kranzniederlegungen oder andere Gesten die Toten ehren wollen», müßten Verständnis dafür aufbringen, daß in der Bundesrepublik Deutschland die Errichtung eines nationalen Mahnmals an der Gefahr scheitern müsse, «Täter und Opfer der nationalsozialistischen Verbrechen» im Tode gleichzusetzen.

Als um den Jahreswechsel 1992/93 bekannt wurde, daß Bundeskanzler Kohl von seiner «ästhetischen Richtlinienkompetenz» Gebrauch gemacht und die Bundesregierung auf seine Anregung hin entschieden hatte, am 14. 11. 1993, also am Volkstrauertag, die umgestaltete Neue Wache in Berlin als zentrale Gedenkstätte der Bundesrepublik Deutschland einzuweihen, da war das allerdings nicht der Schlußpunkt unter eine längere, öffentliche Debatte, sondern der Anstoß zu einer weiteren Auseinandersetzung, die an dem Beschluß der Bundesregierung allerdings nichts mehr zu ändern vermochte. Das Tessenow-Kollwitz-Projekt wurde termingerecht fertiggestellt, allen Einwänden und Bedenken zum Trotz.

Die Kohl-Regierung mißachtete damit, daß ohne eine breite öffentliche Diskussion eine Gedenkstätte mit nationalintegrativem Anspruch nicht mehr legitimiert werden kann. Seit langem wird unter den zeitgenössischen Künstlern eine kontroverse Debatte über die Darstellbarkeit des Judenmords und des Weltkriegs geführt. Diskutiert wurde auch, daß die vor dem Zweiten Weltkrieg und vor Auschwitz geschaffene Pietà der Kollwitz, also ein christliches Symbol, kaum ein angemessenes Symbol für die ermordeten Juden sein kann. Und schließlich gab es gegen das umstandslose Zusammenfügen von Schinkel, Tessenow und Kollwitz massiven Einspruch.

Der Berliner Kunsthistoriker Tilmann Buddensieg sprach sich einerseits für eine «zeitgenössische Ausgestaltung» aus, zeigte aber zugleich viel Verständnis für die Kanzler-Entscheidung, mit Kollwitz einen Konsens herbeizuführen, denn: «Die trauernde Mutter und der tote Sohn sind etwas, das jeder versteht». Das war für den Historiker Reinhart Koselleck eine zu vordergründige Sicht. Man dürfe nicht nur fragen, was diese Pietà-Vergrößerung zum Ausdruck bringe, man müsse auch fragen: «Was sagt unsere Pietà nicht?» Die Kollwitz fand im freiwilligen Opfer des Sohnes keinen Trost – im Gegenteil, sie fühlte sich mitschuldig an dessen Tod. Als nationales Zentraldenkmal steht diese Skulptur aber unweigerlich als ein christliches Erlösungs- und Hoffnungssymbol da, als das es die staatlichen Denkmalsetzer ja auch verstanden wissen wollen.

Die Wahl der Pietà erscheint somit bereits im Hinblick auf das Werk und die persönliche Deutung des Opfertodes durch die Künstlerin fragwürdig. Noch fragwürdiger aber muß die Entscheidung für diese Skulptur erscheinen, wenn man bedenkt, daß die Selbstaussage der Pietà die Ermordung von Millionen Frauen während des Zweiten Weltkrieges ausblendet, denn sie ist Jahre zuvor entstanden, und daß diese Skulptur – als christliches Symbol – die Millionen jüdischer Opfer ignoriert. Daran hätte die Regierung auch ihre weltanschauliche Neutralitätspflicht hindern müssen. Die «hilflose Verwaltung der deutschen Geschichte» (Tilman Buddensieg) durch die Bundesregierung steigerte sich zur öffentlichen Peinlichkeit, als die Kollwitz-Erben intervenierten und einen moralisch-politischen Anspruch mit Hilfe einer Rechtsposition durchsetzten. Auf das noch bei ihnen liegende Urheberrecht stützten sie ihre Forderung: «Entwe-

Die von dem Berliner Bildhauer Harald Haacke vierfach vergrößerte Skulptur ‹Mutter mit totem Sohn› (1937) von Käthe Kollwitz unter dem offenen Oberlicht der Neuen Wache

der die preußischen Militaristen *vor* der Wache oder die vergrößerte Mutter ihrer Großmutter *in* der Wache». Beides zugleich ginge nicht. Das rief nicht nur, aber vor allem die Anwälte des preußischen Architekturerbes auf den Plan.

Auch um die Inschrift der neuen zentralen Gedenkstätte gab es Ärger. Schon in der Vergangenheit hatte die Formel «Den Opfern von Krieg und Gewaltherrschaft» ja keineswegs alle überzeugt und befriedigt. Denn wer sind die Opfer? Alle Toten? Die toten NS-Täter auch? Die Gleichstellung von gefallenen Wehrmachtssoldaten, SS-Angehörigen, gemordeten Juden, Sinti und Roma, getöteten Widerstandskämpfern und zivilen Bombenopfern wird erleichtert, weil unsere Sprache die Unterscheidung zwischen dem passivzufälligen *victime* und dem aktiv-freiwilligen *sacrifice* nicht kennt. Unser Opferbegriff schmückte sich – zumindest bis

156 Denkmäler und Staatsbauten

1945 staatsoffiziell – mit einer sakralen Aura, und das hat in der christlichen Überhöhung der Kriegsopfer nachgewirkt. So wurde dort und so wird nun auch in der Neuen Wache die gewiß gut gemeinte Nobilitierungsgeste, die alle gewaltsam Getöteten zu Opfern macht, unvermeidlich zu einer Nivellierungsgeste. Symbolische Versöhnung durch Verfälschung von gesellschaftlichen Verhältnissen, die in der Konfrontation von privilegierten *Volksgenossen* und rechtlosen *Volksfremden* extrem unversöhnlich definiert waren.

Der Vorsitzende des Zentralrats der Juden in Deutschland, Ignatz Bubis, mochte denn auch seine Zusage zur Einweihung der Neuen Wache im November 1993 erst geben, als ihm der Kanzler ein eigenes Holocaust-Mahnmal zugesichert hatte und sich die Bundesregierung bereit erklärte, die genannte Inschrift im Boden vor der Pietà durch eine differenzierte Aufzählung der verschiedenen Gruppen unter den Getöteten auf einer Metallplatte zu ergänzen – außerhalb der Gedenkstätte. So ist die Neue Wache eine Gedenkstätte geworden, die ein inadäquates Kunstwerk benutzt, die den ungleichen Toten nicht gerecht wird und deshalb mancher Korrekturen von außen bedarf.

Das Scheitern des Versuches, mit der Umgestaltung der Neuen Wache eine nationale Gedenkstätte für alle Toten der NS-Zeit zu errichten, hat nicht zu einer Revision geführt, sondern eine weitere, nicht minder fragwürdige, nationale Denkmalinititiave zur Folge gehabt, die über ein Jahrzehnt geführte Debatte um ein zentrales deutsches Mahnmal für die Ermordung der europäischen Juden.

HAUPTSTADT DER REUE?

Erinnerung an den Judenmord

Guter Wille und politische Gedankenlosigkeit standen am Anfang. Versäumnis und Zufall kamen hinzu. Aus dem Debakel mit der Neuen Wache hätte auch eine andere Konsequenz gezogen werden können als die eines weiteren Denkmals mit nationalrepräsentativem Geltungsanspruch. Folgeprobleme waren von Anfang an absehbar. Mit der Entscheidung für ein spezielles Denkmal zur Erinnerung an die jüdischen Opfer mußte sich unweigerlich die Frage nach weiteren zentralen Opferdenkmälern stellen, für die ermordeten Sinti und Roma, Homosexuellen, Zwangsarbeiter etc. Problematisch war auch der zweite Anstoß. Eine private Initiative hatte sich das Ziel gesetzt, in Berlin ein der nationalen israelischen Gedenkstätte Yad Vashem vergleichbares Monument zu errichten. Unbeachtet blieb dabei die Frage, ob in Deutschland, im Land, aus dem die Täter, ihre Helfer und Helfershelfer kamen, in vergleichbarer Weise an die jüdischen Opfer erinnert werden kann wie in Israel. Ebensowenig wurde die Frage gestellt, wie sich ein solches zentrales Mahnmal zu den vielen in Berlin bereits vorhandenen NS-Gedenkstätten und Dokumentationen verhalten würde. Sie haben Berlin längst zu einer ‹Hauptstadt der Erinnerung› gemacht. Unbeachtet blieb auch das Verhältnis zu den Gedenkstätten an den Orten der einstigen Vernichtungslager in Polen. Als folgenschwer sollten sich die Vorgaben der Auslober des Wettbewerbs erweisen. Bundesregierung, Berliner Senat und der private Förderkreis zur Errichtung eines Denkmals für die ermordeten Juden Europas stellten den Künstlern die Aufgabe, auf einer ca. 20.000 qm großen Fläche einen monumentalen Gedenk- und Erlebnisraum architektonisch oder skulptural so zu gestalten, daß er in den Besuchern dieser Gedenkstätte «große Gefühle» hervorrufe. In der Ausschreibung war ebenso allgemein wie vage von Trauer, Scham, Achtung, Erkenntnis und Toleranz die Rede. Nur wenige Künstler haben sich von diesen Vorgaben distanziert und das darin eingeschlossene große Vertrauen in die Möglichkeit zeitgenössischer Denkmalkunst als uneinlösbar zurückgewiesen.

Als Denkmalstandort hatten die Initiatoren ursprünglich das nahe der Mauer neben dem Martin-Gropius-Bau gelegene Prinz-Albrecht-Gelände vorgesehen, auf dem aber seit Anfang der achtziger Jahre bereits die Dokumentation «Topographie des Terrors» entstand. Widerspruch und Widerstand formierten sich. Mauerfall und Vereinigung brachten erneut Bewegung in die Auseinandersetzung und eine dem Förderkreis willkommene Standortvariante ins Spiel, die der Stuttgarter Historiker Eberhard Jäckel im Frühjahr 1990 vorschlug: das Gelände der früheren Ministergärten nördlich der ehemaligen Reichskanzlei.

Im April 1994 erfolgte die offizielle Ausschreibung des Wettbewerbs; zwölf namhafte Künstler wurden direkt eingeladen. Die weitaus meisten der mehr als fünfhundert Entwürfe lösten die gestellte Aufgabe in monumentaler Weise. Den ersten Preis teilten sich der Kölner Architekt Simon Ungers und eine Künstlergruppe um die Berliner Bildhauerin Christine Jackob-Marks. Deren riesige, schräggestellte Betonplatte, welche die Namen von über vier Millionen ermordeter Juden tragen sollte, wurde vom Förderkreis schnell favorisiert, war aber bald als «Grabplatte» verschrien. Im Sommer 1995 sprach Bundeskanzler Kohl sein berühmtes Machtwort gegen diesen Entwurf. Damit war zumindest die erste Phase dieses Denkmalstreits beendet.

Anfang Mai 1996 griff der Bundestag in die verfahrene Auseinandersetzung ein, aber die erhoffte klärende Debatte fand nicht statt. Gedenkstättenleiter und Wissenschaftler begrüßten in einer öffentlichen Erklärung, daß sich die Auslober für eine zweite Phase entschieden hätten, warnten aber zugleich davor, an den «unglücklichen Vorgaben» des Wettbewerbs festzuhalten, dem Standort und der Fixierung auf ein Mahnmal für die jüdischen Opfer.

Drei Kolloquien, zu denen der Berliner Kultursenator Peter Radunski Anfang 1997 neunzig Sachverständige einlud, sollten einen Ausweg finden. Einerseits wurden Dimension und Bildprogramm des Denkmals als ebenso klärungsbedürftig bezeichnet wie dessen historischer und städtebaulicher Kontext. Andererseits aber blieben die umstrittenen Vorgaben verbindlich, so daß diese Großveranstaltung ergebnislos und mit einer Verschärfung des geschichtspolitischen Konflikts endete.

Erstmals traten nun auch die zu einer Arbeitsgemeinschaft zusammengeschlossenen Leiter der KZ-Gedenkstätten mit einer Erklärung an die Öffentlichkeit. Eigenes, legitimes Interesse bestimmte ihre Sorge, daß der Zug zur Zentralisierung des Gedenkens in der neuen Hauptstadt das über das gesamte Land gewachsene Netz von Gedenkstätten abwerten und seinen dauerhaften Bestand auch beeinträchtigen könne. Außerdem befürchteten sie, daß eine definitive künstlerische Überformung des Genozids die öffentliche Auseinandersetzung mit einem monumentalen Schlußakkord beenden könnte.

Die Initiatoren des ersten Wettbewerbs hielt das nicht davon ab, im Sommer 1997 einen zweiten auszuschreiben. Diesmal setzten sich Richard Serra und Peter Eisenman mit ihrem Entwurf durch, einem begehbaren, abgesenkten Feld mit zunächst viertausend leicht schräggestellten, bis über fünf Meter hohen Betonstelen auf strengem Raster, in dem die Kunstkritik eine abstrakte Anspielung auf das Gräberfeld eines jüdischen Friedhofes erkannte, was die Künstler als nicht beabsichtigt bestritten.

Die Auslober waren mit dem Votum der Jury so wenig

einverstanden wie etwa der Akademie-Präsident György Konrád. Der ungarische Schriftsteller bezeichnete alle bisherigen Entwürfe als «gnadenlosen oder didaktischen Kitsch». Es bedürfe, so erklärte er, «keines Denkmals, das der robusten Größe Deutschlands angepaßt wäre» und das Nachdenken über die Geschichte und ihre Vergegenwärtigung abschließe. Die Debatte schien jetzt erst richtig zu beginnen. Mitunterzeichner des Aufrufs für den ersten Wettbewerb wie Walter Jens und Günter Grass protestierten nun gegen die Errichtung eines Holocaust-Mahnmals, weil, so Jens, «dem Schrecken aller Schrecken durch monumentale Entsprechung auf artistischem Feld nicht beizukommen» sei. Auch in den beiden großen Parteien äußerten sich die ablehnenden Stimmen vernehmlicher. Der Regierende Bürgermeister von Berlin, Eberhard Diepgen, wurde mit dem Satz zitiert, aus Berlin dürfe keine «Hauptstadt der Reue» werden.

Während sich Richard Serra von dem Projekt löste, hat Eisenman den Entwurf auf Wunsch der Auslober mehrfach überarbeitet, die Zahl der Stelen deutlich, auf zweieinhalbtausend reduziert. Außerdem wurde vorgeschlagen, in die Stelen die Namen von Hinrichtungsstätten, Konzentrations- und Vernichtungslagern einzuschreiben. Mancher Kritiker rühmte dieses Monument nun als symbolischen «Friedhof einer ermordeten Kultur», sprach gar von einem «antikischen Trümmerfeld», doch die substantiellen Einwände waren durch diese blumige Prosa kaum widerlegt.

Auch wenn Eisenman wiederholt bestritten hat, durch jüdische Friedhöfe inspiriert worden zu sein, die Parallele ist so offensichtlich, daß es schwerfällt, sie zu übersehen – wie beispielsweise das ehemalige Vernichtungslager Treblinka. Dort haben die beiden polnischen Bildhauer und Architekten Franciszek Duszenko und Adam Haupt schon 1964 einen der größten Friedhöfe des Völkermords bildnerisch gestaltet, so, als wollten sie den hier verstummten Schmerz und das Ent-

setzen der seit zwei Jahrtausenden Verfolgten und Verdammten bis ans Ende aller Zeiten verewigen.

Die Deutschen hatten nach der Ermordung von etwa
800 000 vor allem polnischer Juden auch die Spuren der Erinnerung an das Verbrechen beseitigt: Massengräber, Gas-
kammern, Baracken, Bahngleise. Duszenko und Haupt bildeten in Beton Schwellen der Bahngleise nach, die durch ein
dichtes Waldstück ins Lager führen. Aus der Mitte einer
Lichtung erhebt sich ein aus Steinblöcken errichtetes, gespaltenes Monument, das den überwiegend dort ermordeten
Juden des Warschauer Ghettos gewidmet ist. Auf seiner
Rückseite ist eine Menora eingemeißelt. Dieser Obelisk ist
umgeben von etwa 17 000 Granitblöcken ungleicher Größe
und Form, so ungeordnet und dichtgedrängt wie auf vielen
alten jüdischen Friedhöfen. Hunderte von ihnen tragen Namen von jüdischen Gemeinden, die während des Judenmords vernichtet worden sind. Dieser Erinnerungsgestus ist
nicht nur unwiederholbar, weil einzig diesem Ort angemessen, er gehört auch zur Tradition des Totengedenkens der
Überlebenden. Insofern erlaubt dieses Denkmal eine doppelte
Lesart: Es erinnert an die in Treblinka ermordeten Juden und
es erinnert an die zerstörten jüdischen Friedhöfe. Um den
einstigen Lebens- und Sterbeort ihrer Angehörigen identifizieren zu können, mußten die überlebenden polnischen Juden, von denen etwa 250 000 nach Polen zurückkehrten, die
zerstörten Grabsteine zusammentragen und haben aus
ihnen Obelisken, Friedhofshügel und Stützmauern zusam-
mengefügt. Denn der Ausrottungswahn der Deutschen hatte
den Juden nicht nur millionenfach das Leben genommen,
sondern er hatte eben auch ihre Gedächtnisorte, ihre Geschichte auslöschen wollen.

Andererseits befindet sich in Berlin längst ein Gedächtnisort für die Geschichte der deutschen Juden. Er ist aussage-
kräftiger als jedes Denkmal ex post. Kein zweites Zeugnis in
der Hauptstadt – über Jahrzehnte und in Tausenden von

Denkmalsteinen gewachsen und dann jäh abgebrochen – erzählt so umfassend von einer vergangenen Zeit wie die «Totenstadt von Weißensee». Ihre Steine fügen sich zu einem melancholisch stimmenden, grandiosen Mosaik. Dieser Friedhof ist *das* monumentale Dokument für den Aufstieg der Juden und ihren Beitrag zur Weltgeltung der deutschen Kultur mit Berlin als einem längst legendären Zentrum der wissenschaftlichen, politischen und kulturellen Moderne. Zugleich dokumentiert er das Scheitern der Emanzipation einer jahrhundertelang diskriminierten religiösen Minderheit durch Akkulturation.

Wo könnte man anschaulicher erfahren als dort, daß die «deutsch-jüdische Symbiose» einen Augenblick lang Wirklichkeit zu werden schien und sich dann doch als Fiktion, als tödlicher Trugtraum erwies? Wo wären – einmal abgesehen von Archiven und Bibliotheken – beredtere Zeugnisse dafür zu finden, daß der Ausbruch aus dem Ghetto, aus dem inneren und äußeren Spannungsverhältnis von Marginalisierung und Messiaserwartung, den Juden außerordentliche Anstrengungen abverlangte, ihre wissenschaftlichen Entdeckungen, wirtschaftlichen und politischen Erfolge das völkische Schlagetot-Vokabular von der «Verjudung» der deutschen Kultur aber nicht zum Verstummen bringen konnten? Daß dieser beispiellose Höhenflug vielmehr gewaltsam abgebrochen wurde, die enthusiastische Hingabe vergeblich war und die Hoffnung an diesem Ort verstummte?

Der Friedhof dokumentiert jedoch nicht nur den rasanten Aufstieg der Berliner Juden, der sich in immer prächtigeren Grabstellen und Familienmausoleen niederschlägt und zudem in immer seltenerer Verwendung von hebräischer Schrift und Symbolen jüdischer Tradition ausdrückt. Auch die sich schrittweise vollziehende Verfolgung und Vertreibung wird auf den Steinen sichtbar. Von der ersten Terrorwelle am 1. 4. 1933 gegen jüdische Geschäftsleute, Ärzte und

Rechtsanwälte über die sogenannte Reichskristallnacht am
9. 11. 1938 bis zu den Deportationen zwischen 1941 und
1943. Die Radikalisierung der NS-Rassenpolitik und Ver-
folgungsmaßnahmen dokumentiert sich nicht zuletzt in den
Zahlen der Suizide. Allein für Weißensee sind rund 2000
Beisetzungen von Menschen nachgewiesen, die durch Selbst-
tötung aus dem Leben schieden, wobei die Zahlen 1938, 1941
und 1942 (dem Beginn der Deportationen nach Auschwitz)
jeweils deutlich anstiegen.

Dieser Ort bezeugt in Denkmälern aber auch den Willen
zur Selbstbehauptung, zum Widerstand, zu dem vor allem
jüngere Pazifisten und Marxisten fanden. Bekannt geworden
ist die Gruppe um Herbert Baum, die nach einem Brand-
bombenanschlag gegen eine NS-Propagandaausstellung im
Lustgarten aufflog und ermordet wurde. Die Rache des NS-
Regimes wütete darüber hinaus noch gegen mehrere hundert anderer Juden, die nach Sachsenhausen deportiert und
dort getötet wurden.

Es gibt allerdings noch ein weiteres Argument, das gegen
ein zentrales Holocaust-Mahnmal spricht. Berlin hat in den
vergangenen gut zwei Jahrzehnten eine Fülle von kommu-
nalen und privaten Aktivitäten entwickelt, so daß die Stadt
sich längst als Hauptstadt der Erinnerung darstellt. Diese
dichte, dezentrale Struktur öffentlicher Erinnerungszeichen
ermöglicht einen stadträumlich-sichtbaren Zugang zu der
von uns immer weiter wegrückenden Geschichte der Vertreibung und Verfolgung.

Dazu drei Beispiele. 1993 haben die Konzeptkünstler Renata Stih und Frieder Schnock im Bayerischen Viertel in
Berlin-Schöneberg ein sehr ungewöhnliches Denkmal in-
stalliert. Tafeln mit Verordnungstexten und Piktogrammen,
die sie an Straßenlampen montierten, erinnern an den
schrittweisen Prozeß der Ausgrenzung, Vertreibung und Ermordung eines Großteils der vor 1933 etwa 16 000 Schöneberger Juden. Ein anderes Beispiel ist die Synagoge an der

Levetzowstraße im Tiergarten. In der Pogromnacht 1938 nur geringfügig beschädigt, wurde sie ab Ende 1941 als Sammellager für die Deportationen in die östlichen Vernichtungslager benutzt. Den Krieg hat sie als Vollruine überstanden. 1956 wurde sie abgerissen. Im November 1988 konnte dort das von dem Bildhauer Peter Herbrich und den Architekten Jürgen Wenzel und Theseus Bappert geschaffene Architekturensemble eingeweiht werden. Es erinnert an die Vielfalt, Größe und Bedeutung der ausgelöschten preußisch-jüdischen Kultur. Rampe und Waggon mit Figurationen, die abstrakt in Eisen geschnürte Menschenpakete darstellen, sagen sehr konkret, was dieser Ort verlor.

Zu Symbolen der Vertreibung und Vernichtung sind auch die Berliner Deportationsbahnhöfe geworden. Von den vor 1933 rund 160 000 Berliner Juden konnten sich etwa 90 000 durch Flucht vor der nationalsozialistischen Verfolgung retten. Etwa 55 000 Berliner Juden gelang das nicht. Sie wurden über Sammellager an verschiedenen Bahnhöfen der Stadt in Deportationszüge verladen und in die östlichen Ghettos und Vernichtungslager gebracht und dort ermordet. Der S-Bahn- und Güterbahnhof Grunewald ist einer davon.

Hier hat der Bildhauer Karol Broniatowski den Weg zum Deportationszug in einem Betonblock nachgestaltet. Er wurde neben dem Eingang zum S-Bahnhof aufgestellt, am Fuß des Bahndamms, wo es hinaufgeht zum Güterbahnhof. Im Beton sind – schattenrissartig ausgespart – die Negativformen menschlicher Körper zu sehen, die in der Fluchtperspektive des Auges immer kleiner und undeutlicher werden. Das Preisgericht lobte die künstlerische Gestaltungskraft vor allem deshalb, weil sie, wie es hieß, «die undarstellbaren Vorgänge sichtbar» gemacht habe. Seit Anfang 1998 befindet sich oberhalb, auf dem Bahndamm, zusätzlich eine Installation. Neben den Bahngleisen liegen auf hundertdreißig Metern Länge über schwarzem Schotter gußeiserne Gitter, die auf ihrer Schmalseite die Daten der 186 Deportationszüge tragen, ihre Zielorte und die Zahlen der verschleppten Berliner Juden.

All diese Erinnerungsorte verweisen geographisch und auch in ihrer denkmalästhetischen Sprache auf die Vernichtungslager und die dort errichteten Gedenkstätten. Ereignisgeschichtlich gesehen aber beziehen sie sich auf die Befehlszentrale der Gewaltverbrechen in der früheren Prinz-Albrecht-Straße, wo sich seit langem die Dokumentation «Topographie des Terrors» befindet, wenn auch zu lange in einem bedenklichen Zustand.

Mit Blick auf Berlin als eine gewachsene und denkmalästhetisch anspruchsvoll gestaltete Erinnerungslandschaft erscheint somit das Stelenfeld am Brandenburger Tor weitgehend entbehrlich. Als nationalrepräsentatives Trauermal für die ermordeten Juden Europas im Land der Täter steht es vor einem Dilemma. Es kann aus dem negativen Fixpunkt des nationalen Gedächtnisses keinen positiven machen und deshalb nur zu einem gesellschaftlich kaum konsensfähigen «Schandmal» (Christian Meier) geraten – oder zu einer verlogenen Geste. Eisenmans monumentales Stelenfeld ist dem nicht entgangen.

Gleichwohl wird man den Bundestagsbeschluß zur Errichtung dieses Mahnmals auch als Beendigung einer jahrelangen Debatte respektieren und zugleich die beiden maßgeblichen Beweggründe würdigen müssen: Das vereinte Deutschland müsse sich dauerhaft und öffentlich zu seiner historischen Schuld bekennen und dürfe sich, angesichts der wünschenswerten Rückgewinnung eines umfassenderen historischen Bewußtseins, nicht dem Verdacht einer Verharmlosung der Gewaltverbrechen Hitler-Deutschlands aussetzen. Man hätte den Volksvertretern den Mut und die Kraft gewünscht, ihren Beschluß für einen zentralen Ort der Opfer dahingehend zu ergänzen, daß ihm ein zentraler Ort der Auseinandersetzung mit den verantwortlichen Akteuren der Gewaltverbrechen voranstehen muß. Tatsächlich ist der

zentrale Täter-Ort, die «Topographie des Terrors», in dem
Maße geschichtspolitisch ins Abseits geraten, in dem das
Holocaust-Mahnmal öffentliche Aufmerksamkeit und fi-
nanzielle Zuwendung beansprucht hat.

Die «Topographie des Terrors» ist das wohl prominenteste
Beispiel dafür, daß die NS-Geschichte erst einmal vergessen
gemacht wurde, bevor man bereit war, sich wieder an sie zu
erinnern. Weltbekannt war diese Gegend zu Bismarcks Zeiten, insbesondere die Wilhelmstraße als Sitz preußischer
und reichsdeutscher Regierungsämter. Nach 1933 verwan-
delte sich dort manches Haus in eine erst stadtweit und bald
weltweit gefürchtete Adresse. In die frühere Kunstgewerbe-
schule zog zunächst die Gestapo-Zentrale ein. Seit 1939 war
die berüchtigte Prinz-Albrecht-Straße 8 Sitz des Reichs-
sicherheitshauptamtes (RSHA).

Von diesem Ort aus wurde die Verfolgung und Vernichtung der politischen Gegner und der ‹Rassenfeinde› des
Nationalsozialismus zentral gelenkt. Dort befand sich die
Zentralkartei aller politisch Verdächtigen, wertete man die
Lageberichte und Spitzelmeldungen aus allen Teilen des Reiches aus, wurden die sogenannten Schutzhaft-Befehle ausge-
stellt, die die Verschleppung ins Konzentrationslager bedeu-
teten. Dort wurde schließlich der Völkermord an den
europäischen Juden und an den Zigeunern geplant, wurden
die Mordkommandos der Sicherheitspolizei und des SD aufgestellt und über die Ermordung sowjetischer Kriegsgefange-
ner entschieden. Es war der Ort eines «Verwaltungsmassen-
mordes» (Hannah Arendt) von gigantischem Ausmaß. Die im
sogenannten ‹Gestapo-Hausgefängnis› in der Prinz-Albrecht-
Straße inhaftierten Gegner repräsentierten dagegen das «andere Deutschland», den Widerstand gegen das NS-Regime.

Die durch die Luftangriffe und erbitterten Bodenkämpfe
um das Machtzentrum des ‹Dritten Reiches› mehr oder weniger schwer in Mitleidenschaft gezogenen Gebäude wären
größtenteils zu retten gewesen. Doch wurden alle vom NS-

Regime genutzten Gebäude bis Mitte der fünfziger Jahre gesprengt. Während die von Ulbricht verfügte Sprengung des Berliner Schlosses empörte Reaktionen auslöste, gab es dort keinen Protest. Bevor man die Geschichte ertragen und erkennen konnte, machte man sie unsichtbar.

In der zweiten Phase historischer Spurentilgung war die Brachfläche Gegenstand von Umbauplänen. Im Rahmen der Hauptstadt-Berlin-Planung dachte man daran, eine Schnellstraße über das Gelände zu führen. Erst in den siebziger Jahren geriet dieser Ort wieder ins öffentliche Bewußtsein. Später wurde ein Mahnmal und ein Dokumentenhaus gefordert. Eine 1985 gegründete «Initiative zum Umgang mit dem Gestapo-Gelände» begann im Sommer desselben Jahres mit Ausgrabungen und Spurensicherungen. Dabei wurden Überreste des Kellergefängnisses der Gestapozentrale freigelegt und großflächig überdacht.

Im folgenden Jahr konnte die unter dem Berliner Historiker Reinhard Rürup erarbeitete Dokumentation «Topographie des Terrors» eröffnet werden. 1989 beauftragte das Berliner Abgeordnetenhaus eine Fachkommission, ein langfristiges Gestaltungs- und Nutzungskonzept zu erarbeiten. Sie empfahl, einen «Ort der Aufklärung und der geistigen Auseinandersetzung mit den Entstehungsbedingungen und Strukturen des nationalsozialistischen Terrorsystems» zu schaffen und an diesem zentralen «Ort der Täter» auf ein monumentales Denkmal ebenso zu verzichten wie auf den erneuten Versuch einer künstlerischen Gesamtgestaltung. Aus dem zweiten Wettbewerb Anfang der neunziger Jahre gingen die Architekten Peter Zumthor und Thomas Durisch als Sieger hervor. Die Bauarbeiten für die Ausstellungshalle begannen im Sommer 1997. Bald stritten und zerstritten sich Berlin, der Bund und die Architekten über Kosteneinsparungen und Kostenverteilung. Im Frühsommer 2004 trat Reinhard Rürup resigniert von seinem Amt zurück. Bund und Berliner Senat beschlossen daraufhin, sich von dem Architekten zu trennen, die bereits gebauten Treppentürme abzureißen und dem historischen Ort eine neue Gestaltung zu geben.

Zu wenig ist bisher im öffentlichen Bewußtsein verankert, warum dieser einstige Sitz der Befehls- und Verwaltungszentrale des nationalsozialistischen Terrorapparates der nationale ‹Gedächtnisort› der Bundesrepublik Deutschland schlechthin ist – und nicht etwa die Neue Wache oder das Holocaust-Mahnmal. Die «Topographie» muß der zentrale Fixpunkt in unserem nationalen Gedächtnis sein und ist insofern das wichtigste nationale Symbol der nachtotalitären Geschichte. Wie kein anderer erinnert dieser Ort daran, daß der demokratisch-parlamentarische Rechtsstaat der Bundesrepublik Deutschland die Wiederherstellung und Verbesserung jener politischen Ordnung ist, die das NS-Unrechtsregime 1933 beseitigt hat. Diese «Negation der Negation», wie Ernst Fraenkel den Neo-Pluralismus, die politische Philosophie des Grundgesetzes definiert hat, ist der dominante, für die Bonner wie für die Berliner Republik geradezu konstitutive und auch geschichtspolitisch maßgebliche Bezug. Daraus leitet sich der überragende Rang dieses Ortes in der gebauten Erinnerungskultur Deutschlands ab und auch sein politischer Bildungsauftrag.

Insofern greifen minimalistische Appelle («Laßt das Gelände sprechen!») zu kurz. Es geht um mehr als um das Gelände als dem vermeintlich wichtigsten Ausstellungsstück. Der authentische Ort, die Aura seiner Archäologie mögen den erlebnishungrigen Geschichtstouristen animieren. Die «Topographie» hat dort eine Beweissicherungspflicht und einen Aufklärungsauftrag zu erfüllen. Nicht weniger und nicht mehr. Insofern verträgt dieser Ort weder eine Fetischisierung zu einer Art ‹heiligen Brache› noch eine Ästhetisierung durch aufwendige architektur- oder denkmalkünstlerische Überbauung.

Ein zweiter Gesichtspunkt kommt hinzu. Der Ort, an

dem sich nur noch wenige materielle Überreste einer darstellbaren, aber schwer verständlichen Vergangenheit finden, muß eine Geschichte erzählen, die Geschichte der Täter und der nationalsozialistischen Gewaltverbrechen. Diese Aufgabe gewinnt an Dringlichkeit, wenn man sich vor Augen hält, daß in Berlin ein nicht unbedenkliches Übergewicht zugunsten der jüdischen Opfergeschichte (Holocaust-Mahnmal, Jüdisches Museum) besteht.

Auch in der Erinnerungspolitik zählt nicht allein die gute Gesinnung. Die Fehler, die bei der hastigen und gedankenlosen Umgestaltung der Neuen Wache gemacht wurden, haben sich ebenso gerächt wie die im Ansatz verfehlte bürgerschaftliche Initiative des Holocaust-Mahnmals. Yad Vashem ist nicht übertragbar. Wenn künstlerische Formsprache sich nicht im bloß Spektakulären und Beliebigen verlieren, sondern sinnbildend sein will, dann hat ein friedhofähnliches Stelenfeld seinen Ort über den Massengräbern der in Polen gelegenen einstigen Vernichtungslager, aber nicht im Zentrum Berlins.

In Berlin wurden die jüdischen Deutschen diskriminiert, ausgegrenzt, ausgeraubt, vertrieben und deportiert. Darauf verweisen – in Synagogen, an S-Bahnhöfen und vielen Stadtteilen – Erinnerungszeichen hohen denkmalkünstlerischen Anspruchs. Ihren gemeinsamen Bezug haben sie im Entscheidungszentrum des rassenpolitischen Völkermords, in der «Topographie». Sie ist eben deshalb auch keine Gedenkstätte. Der emotionale Vergangenheitsbezug ist dort nachgeordnet. Ihre Aufgaben der Aufklärung und Deutung erfüllt die «Topographie» im Grenzbereich von politischer Kultur und Wissenschaft, also in einem Handlungsfeld, das durch einen normativen und einen kognitiven Vergangenheitsbezug definiert ist.

Unterstrichen wird dieser öffentliche Auftrag durch jenes oft beklagte, strukturelle Transferproblem zwischen Wissenschaft und gesellschaftlicher Öffentlichkeit. Diese verlangt

in der Befriedigung ihres Geschichtsbedarfs nach inhalt-
licher Eindeutigkeit, nach Vereinfachung realgeschichtlicher
Komplexität und nicht zuletzt nach emotional-anrührender,
unterhaltsamer Information. Der Geschichtswissenschaft
sind diesbezüglich enge Grenzen gezogen. Dieses Dilemma
ist des öfteren sichtbar geworden, insbesondere aber bei den
beiden weltweit erfolgreichen Hollywood-Produktionen, dem
Holocaust-Fernsehfilm und *Schindlers Liste*, die ein Millio-
nenpublikum erreichten. Die Vermittlungsformen eines
auch visuell erfahrbaren Dokumentations- und Lernortes
wie der Topographie erfüllen insofern eine kaum zu über-
schätzende Brückenfunktion, über die Jahr für Jahr einige
hunderttausend Menschen erreicht werden.

Ihr überragender geschichtspolitischer Rang resultiert
schließlich noch aus einer dritten Überlegung. Wie kein anderer Ort muß die «Topographie» als eine aus bürgerschaft-
lichem Engagement hervorgegangene und später auch staatlich geförderte Institution des kulturellen Gedächtnisses vor
allem die Vermittlung einer tat- und täterbezogenen Darstellung des Judenmords sicherstellen. Die nachwachsenden
Generationen wollen und sollen aber auch wissen, woher die
Täter kamen, wie sie in den Vernichtungslagern und den
Mordaktionen der mobilen Einsatzgruppen zu Massenmör-
dern wurden, nach 1945 in nicht geringer Zahl in die bürgerliche Gesellschaft zurückkehrten und zu Wohlstand und
Reputation kamen. Indem die «Topographie» die Vor- und
Verlaufsgeschichte des nationalsozialistischen Unrechtsregi-
mes thematisiert und zugleich auch dessen «zweite Geschichte», also die bis in unsere Tage reichende politisch-ju-
stizielle und politisch-kulturelle Auseinandersetzung mit
dieser Erblast, kann und muß sie zeittypische Blickveren-
gungen im öffentlichen Geschichtsbild korrigieren. Und die
sind nicht von der Hand zu weisen.

Seit langem ist die Tendenz zu beobachten, in der öffentlichen Verbreitung einer allgemeinen Holocaust-Darstel-

lung nicht die Vorgeschichte des Nationalsozialismus und seiner Verbrechen, sondern das Ende zu betonen, die Rettung der Überlebenden, den Neuanfang – und die Rückkehr Deutschlands in die westliche Zivilgesellschaft. Diese mehr Optimismus als kritische Nachdenklichkeit weckende Neigung zur Unterbelichtung der Tätergeschichte wird noch deutlicher, vergegenwärtigt man sich die jüngsten Debatten und Medienspektakel um «Bombenkrieg» und «Vertriebenenzentrum», in denen einmal mehr das deutsche Opferselbstbild bekräftigt wird. Das zweite Beispiel ist die Herauslösung des Judenmords aus der deutschen Geschichte durch eine längst vollzogene Globalisierung der Gedenkkultur und eine Inflationierung des Holocaust-Begriffs.

Die «Topographie des Terrors» muß diese Entwicklungen selbstverständlich beachten und thematisieren. Vor allem aber muß sie gegen alle relativierenden, reduktionistischen und revisionistischen Deutungen ihren Auftrag und Ausgangspunkt definieren und öffentlich dokumentieren: Die nationalsozialistischen Gewaltverbrechen sind nicht zwangsläufig, aber auch nicht zufällig in Deutschland und in dem von Hitler-Deutschland besetzten Europa geschehen. Wer das verstehen will, muß immer wieder die eine, vor allem für Deutsche beunruhigende Doppelfrage stellen: warum Hitler nicht verhindert werden konnte und warum die Gewaltverbrechen gerade in Deutschland geschehen sind.

Über diesen historischen Erinnerungsauftrag hinausgehend, könnte die «Topographie» in vergleichender Perspektive den Judenmord mit anderen Völkermorden und Menschlichkeitsverbrechen konfrontieren und in das Jahrhundert der Moderne und der Barbarei einordnen. Dieser Bezugsrahmen, der die Gegenwart nicht nur rezeptionsgeschichtlich, sondern auch problemgeschichtlich zur Vergangenheit öffnet, könnte helfen, unser Bewußtsein, über Berlin und Auschwitz hinaus, zu erweitern – für die Gefährdung der menschlichen Zivilisation überhaupt.

DAS NEUE KANZLERAMT

Ein monumentales Mißverständnis?

Das neue Bundeskanzleramt nimmt als Regierungssitz «gesetzt» den Rang eines nationalen Symbols ein. Es muß diesen Anspruch allerdings noch einlösen, wobei man wünschen möchte, daß dieser Bau im Selbstverständnis der sich verändernden, neuen Bundesrepublik seinen Ort findet. Auch angesichts der vielen Kanzleramtswechsel – Deutschland hat im vergangenen Jahrhundert nicht weniger als sieben Regierungssitze gehabt – und des chronischen Symbolisierungsdefizits im Feld gouvernementaler Politik.

In dem hellen, eleganten, mit einer Seitenkante von fast 40 Metern und acht Stockwerken auch monumentalen, aber doch kulissengleich schwerelosen Würfel strebt alles aufwärts, vom Foyer bis hinauf zur amphitheatralisch in die beiden obersten Ebenen hineingebauten «skylobby», dem i-Punkt dieser ebenso kommunikativen wie telegenen Rauminszenierung. Das weit und flach gespannte, aufgeschnittene, luft- und lichtdurchlässige Dach scheint zu schweben. Die großflächigen Glasfronten und weiträumigen Terrassen unterstreichen diesen Eindruck noch.

Könnte man dem Bau ansehen, daß in ihm politische Akteure planen, beraten, koordinieren und entscheiden, man würde glauben wollen, daß es eher eine Lust als eine Last ist, zu regieren. Eine in Berlin bisher unbekannte, festlich-frivole Leichtigkeit staatlicher Repräsentationslust geht von dem Spiel mit Licht und Raum, Schließung und Öffnung, Kante und Rundung aus. Man vermutet eine Staatsoper, einen Weltausstellungs-Pavillon, ein Museum, eine Kunsthalle, die diesem Bau ja auch Pate gestanden haben. An das Zentrum der Staatsmacht denkt man zunächst eher nicht.

Bundeskanzleramt Berlin, Ansicht der Hauptfassade, davor der Ehrenhof mit der Stahlplastik ‹Berlin› von Eduardo Chillida

Die beiden 200 bzw. 300 Meter langgestreckten, parallelen Bürotrakte, die diesen Würfel nördlich und südlich einfassen, zeigen allerdings an, daß politische Steuerung auch im 21. Jahrhundert mehr ist als ein permanent mediales Event. Aber sie sind – luft- und lichterfüllt, materialästhetisch ansprechend und von Wintergärten umgeben – frei von jeder abweisenden, düsteren Freudlosigkeit traditioneller Behördenbauten.

Das ansprechende, theatralische Erscheinungsbild, das die neuen Hauptstadt-Couturiers Axel Schultes und Charlotte Frank dem Kanzleramt verpaßt haben, wirkt im Neubaugebiet Spreebogen allerdings noch etwas verloren und überdimensioniert. Zumal das ursprünglich vorgesehene Bürgerforum nicht gebaut wurde, der neue Lehrter Zentralbahnhof noch unfertig ist und ein urbanes Umfeld erst wachsen muß.

Ein neuer Anfang ist jedoch gemacht, ein effektvoll vielver-
sprechender. Es ist ein Versprechen auf die Zukunft. Die ältere Staatsgarderobe hat nun ausgedient. An Speers maßlose,
glücklicherweise weitgehend Modell gebliebene Germania-
Gigantomanie erinnert nur noch wenig. Fast vergessen
scheint auch die zu Unrecht zur «Rechnungshofarchitektur»
(Adolf Arndt) abgewertete funktional-unauffällige, bescheidene Alltagskleidung der Bonner Regierungsbauten. Ist nun
eine Alternative zu den Extremen deutscher Staatsästhetik
gefunden, ihrem so lange gefürchteten und dämonisierten
«Übermaß» und ihrem so oft beklagten «Untermaß» (Josef
Isensee)?

Der Spott, mit dem das Kanzleramt bei seiner Einweihung
2001 bedacht wurde, konnte jedenfalls nicht wirklich den
Bau treffen. Er war vor allem auf den maßgeblich beteiligten
Bauherrn gemünzt. Aber der tausendfach wiederholte, mä-
ßig originelle Kalauer vom «Kohlosseum» traf den Kern
nicht. Das neue Kanzleramt ist ja gerade kein bloß massiger
Baukörper. Er lebt von seiner Ambivalenz, seiner Gegenläu-
figkeit, seinen Spannungen, seiner Raumdynamik. Der Lei-
tungsbau, in seinen Nord- und Südfassaden trotz großer,
halbkreisförmiger Fenster hermetisch, unnahbar und kantig
zur Stadt hin abgegrenzt, ist in Ostwest-Richtung weich,
spielerisch offen, gleicht einem Bühnen- und Ausstellungs-
raum. Im Eingangsbereich des sogenannten Ehrenhofes erscheint alles beweglich und jederzeit veränderbar – ein ef-
fektvolles, einladendes Verwirrspiel mit Säulenskulpturen
und kulissenhaften Wänden. Wie geschaffen für kleine und
große Gesellschaften, als würden sich die Bürger der Stadt
und die Repräsentanten des Staates dort alltäglich begegnen,
zum Gespräch über die politischen Tagesfragen. Zu wünschen wäre es, der Politik und der Stadt. Aber sie wird sich
schwertun, die gleichsam natürliche Insellage des Kanzleramtes zu urbanisieren. Im Norden ist es durch den Spreelauf
und die Bahngleise wie durch einen doppelten Burggraben

gegen die Stadt abgeschirmt, im Süden verhindert der Tiergarten ihr Näherrücken.

Erst im Eingangsbereich beginnt der Bau seinen Charme zu entfalten. Man betritt das 14 Meter hohe Foyer ohne den Wechsel von außen nach innen wirklich zu spüren. Und sogleich wird der Blick weiter hinein- und hinaufgezogen, auf die straßenbreit, sanft ansteigende Freitreppe, wie man sie aus den Bühnendekorationen von TV-Shows kennt. Sie scheint denn auch nur einen Zweck zu haben, Begegnungen zwischen prominenten und weniger prominenten Personen mit dem Kanzler wirkungsvoll dem Fernsehpublikum zu präsentieren. Er selbst kann sich hier nun allerdings nicht mehr, wie weiland in Bonn, als leitender Angestellter der Republik präsentieren. Die Architektur und die Kameras zwingen ihn in die Rolle des ersten Moderators der Fernsehnation, zwingen ihn aber auch, den Amtsgeschäften und Mühen des politischen Alltags in einem Bau nachzugehen, der mit seinen Treppen und Terrassen, weißem Beton, Sandstein, Wintergärten und Glas eines jedenfalls nicht ist: alltäglich.

Spott traf das Gebäude nicht zuletzt wegen seiner riesigen, kreis- und halbkreisförmigen Öffnungen. Der respektlose Berliner Volksmund hat daraus prompt eine «Bundeswaschmaschine» gemacht. Die internationale Presse bemühte maritime Assoziationen und sprach von einem an der Spree «im Stich gelassenen Ozeandampfer» (*New York Times*). Wer sich allerdings ein wenig vertraut macht, erkennt schnell, daß der Architekt für seine doch sehr ungewöhnliche Aufgabe sich auf vielfältige Weise hat anregen lassen, durch bedeutende Beispiele aus der Geschichte der politischen und sakralen Architektur und durch weltberühmte Kollegen wie Louis Kahn und Le Corbusier (Chandigarh).

Vielleicht hat Schultes auf der Suche nach einer städtebaulich angemessenen, langfristig telegenen und effizienten Lösung sich und diesem Bau zuviel aufgebürdet und vielleicht auch mit der effektvollen Show-Architektur der Me-

diendemokratie, der im Spreebogen zweifellos ein heraus-
ragendes Denkmal errichtet worden ist, eine zu große
Reverenz erwiesen. Vielleicht hat er am Ende, wie der Architekturkritiker Heinrich Wefing in seiner glänzenden Studie
über das Berliner Kanzleramt verständnisvoll kritisch urteilt, ein «wunderbares Haus für den falschen Zweck» gebaut, ein «monumentales Mißverständnis»?

Aber es steht nun da, ein sich einstweilen selbst genügen-
der Solitär im Spreebogen, scheinbar vorbild- und vorausset-
zungslos, als wäre er aus dem Nichts entstanden. So zieht er
die Blicke der Besucher und Fernsehkameras auf sich und bestimmt längst unser Bild von der Berliner Republik. Wohl
ganz so, wie es sich der Bauherr gewünscht hatte. Nach dem
Willen und der Vorstellung Bundeskanzler Kohls sollte sein
Haus so etwas werden wie die «Visitenkarte Deutschlands».
Es sollte «Signalcharakter» haben – und ihn, wenn möglich,
für mehrere Generationen behalten. Mancher der am Bau
Beteiligten wünschte sich, daß im Spreebogen «unser letztes
Bundeskanzleramt» gebaut wird. Ewigkeitssehnsucht und
Kontinuitätswunsch nach einem Jahrhundert der Brüche und
Zusammenbrüche?

Nun muß für die Beurteilung der Symbolisierungskraft
dieses Baus aber noch ein anderes, städtebauliches Element
berücksichtigt werden. Das sogenannte «Band des Bundes»,
das in seiner ursprünglichen Planung den Spreebogen
durchschneiden und – spangenartig von Moabit bis zum
Schiffbauer Damm ausgreifend – dreimal die Spree überque-
ren sollte. Spätestens mit dem Blick auf diesen monumentalen Einschnitt in das historische Zentrum Berlins drängt sich
nun aber doch die Frage nach der jüngeren und älteren Vorgeschichte dieses Staatsbaugrundes in den Vordergrund, was
einen kurzen Rückblick in die unmittelbare Vergangenheit
nahelegt.

Im Dezember 1985 debattierte der Bundestag über die
Pläne der Bundesregierung, Berlin zu seinem 750jährigen

Jubiläum ein Deutsches Historisches Museum zu schenken – Bonn erhielt das der deutschen Nachkriegsgeschichte gewidmete Haus der Geschichte. Es sollte im Spreebogen errichtet werden, auch um dieses bedeutsame Areal um den früheren Königs- und nachmaligen Republikplatz aufzuwerten, ihm etwas von seiner historischen Bedeutung zurückzugeben. In der geteilten Stadt war es zur Spiel- und Grillwiese verkommen. Der Grünen-Abgeordnete Christian Ströbele ließ sich die Gelegenheit nicht entgehen, die Bundesregierung zu fragen, ob sie die Gefahr sähe, daß mit dem Bauvorhaben an jene wilhelminischen und großdeutschen Großmachtpläne erinnert werden könnte, die durch eine westlich an Reichstag und Brandenburger Tor vorbeilaufende, breite Nord-Süd-Achse Berlin einen neuen Mittelpunkt geben wollten. Natürlich sah sie diese Gefahr und wollte gerade dieses Bild nicht wiederbeleben. Was aber doch zeigt, daß selbst die nur geplanten architektonischen Maßlosigkeiten vergangener Herrschaftssysteme im politischen Bewußtsein gegenwärtig geblieben sind.

Im Wettbewerb für das infolge der Wiedervereinigung dort nie gebaute Historische Museum gewann der Architekt Axel Schultes einen dritten Preis. Bedeutsamer war, daß sein Entwurf im Kern bereits all das enthielt, was er Jahre später in seinem Kanzleramtsbau realisieren sollte, nachdem Bundeskanzler Kohl entschieden darauf hingewirkt hatte, das Kanzleramt in Reichstagsnähe zu bauen und nicht etwa dort, wo frühere deutsche Regierungschefs von Bismarck bis Honecker residiert hatten, in der Wilhelmstraße und am Schloßplatz.

Verständlich, daß diese neue, westliche Zentrumsbildung auch symbolisch gedeutet worden ist. Aber gewiß übertreibt, wer nun erst oder noch einmal «das Ende der preußisch dominierten Epoche deutscher Geschichte» (W. J. Siedler) gekommen sieht. Es fand schon 1945 statt. Und das traditionelle politische Zentrum in der östlichen Stadtmitte ist ja nicht aufgelöst worden. Immerhin zog der Vizekanzler und Außenminister in das größte Gebäude der Stadt ein, die ehemalige Reichsbank, später Sitz des Zentralkomitees der SED. Das alte Zentrum ist also ergänzt und erweitert worden. Sollte man darin nicht eine demonstrative, symbolische Synthese von Kontinuität und Wandel sehen dürfen und als Ausdruck einer neuen, gleichgewichtigen Ost-West-Orientierung deuten, zumal vor dem Hintergrund der endlich nach Ostmitteleuropa erweiterten Europäischen Union?

Axel Schultes gewann zunächst den «Städtebaulichen Ideenwettbewerb Spreebogen» von 1992/93, durch den eine konzeptionelle Lösung für die Verkehrsführung und innerstädtische Anbindung des neuen Regierungsviertels unter Einschluß von Bundesrat und zahlreichen weiteren Bauten für den Bundestag in Reichstagsnähe gesucht wurde. Der Wettbewerbssieger griff dabei auf seinen alten Entwurf zurück, ersetzte das Museum durch das Kanzleramt und zog in einer «urbanistischen Dehnübung» (H. Wefing) das ganze Projekt, in west-östlicher Richtung, so in die Länge, daß es nun vom Schloß Bellevue bis zum Bahnhof Friedrichstraße reichte.

Damit war dem Ausdrucksverlangen für ein sich wandelndes Selbstverständnis der Berliner Republik eine bildliche Deutung gegeben, die zumindest in zweifacher Hinsicht sofort einleuchtete, das Projekt konkurrenzlos machte und gegen alle Detailkritik immunisierte: Die west-östliche Klammer drängte sich als deutsche Einheitsmetapher geradezu auf und konnte zugleich historisch gedeutet werden als Durchstreichen aller nord-südlichen Achsenpläne vergangener Tage und aller sich darin widerspiegelnden Weltmachtträume. Im weiteren Verlauf sind von diesem städtebaulichen Konzept allerdings erhebliche Abstriche gemacht worden. Man wird das kaum bedauern, wäre doch durch ein kilometerlanges «Band» dauerhaft an das erinnert worden, was dort gerade vergessen gemacht werden soll.

Immerhin, und das ist ebenso neu wie erfreulich in der Geschichte des deutschen Regierungssitzes als Bau und als nationales Symbol: Parlament und Kanzleramt sind nun erstmals räumlich zusammengerückt und halten, frei stehend, zugleich selbstbewußt Distanz zueinander – sinnbildlicher Ausdruck für Teilung und Verschränkung der Gewalten. Damit kann eine neue Traditions- und Symbolbildung beginnen. Das Herz des neuen Regierungsviertels schlägt nun im Berliner Spreebogen, und nicht mehr wie zu Zeiten der alten Hauptstadt in der Wilhelmstraße. Als Regierungsmeile war sie einmal die weltweit wohl bekannteste Adresse der Hauptstadt. Dort beginnt die Geschichte der chronischen Symbolisierungsdefizite im Bereich gouvernementaler Politik. Zunächst sah es danach allerdings nicht aus.

Anno 1878 zog Otto von Bismarck mit gerade einmal vier Beamten in das barocke Palais Radziwill ein. Zuvor hatte er schon einige Zeit nebenan residiert, seit 1862 als preußischer Ministerpräsident. Gut fünfzig Jahre blieb das «Reichskanzlerhaus» in der Wilhelmstraße 77 weitgehend unverändert. Wie sehr und wie lange dieser Ort mit Bismarck identifiziert wurde, zeigte sich bei der Grundsteinlegung für den Erweiterungsneubau am 18. Mai 1928. Nicht nur, daß im Titel «Reichskanzler» bis «heute etwas Bismarckisches» mitklingt, wie Berliner Blätter schrieben. Auch das Amt – und mit ihm symbolisch der Bau – sei, so Reichskanzler Wilhelm Marx (Zentrum) in seiner Ansprache, «das eigenste Werk des Altreichskanzlers» und «Schöpfers unseres Reiches». Diese Würdigung, die so deutlich Reich und Republik zusammenbinden wollte, wurde dadurch noch unterstrichen, daß die Grundsteinlegung mit Bedacht am 18. Mai stattfand, dem 50. Geburtstag der Reichskanzlei.

Wie sehr es den Verantwortlichen in dieser Zeit darum ging, den von Eduard Jobst Siedler und Robert Kisch errichteten Neubau, der sich wegen seiner neu-sachlich funktionalen Ästhetik viel Spott gefallen lassen mußte, politisch und

ästhetisch in die Reichskontinuität einzubetten, das zeigen
insbesondere die Bemühungen des maßgeblich am Neubau
beteiligten Hermann Pünder. Wiederholt erklärte der Staatssekretär in der Reichskanzlei, daß der Bau einerseits dem
«Geist der neuen Zeit» verpflichtet sei, andererseits aber
dem «Geist der Wilhelmstraße», also eine politische Ver-
mittlungsaufgabe erfüllen sollte.

Faktisch mußte der Architekt eine Lücke schließen zwischen dem im Stil der italienischen Renaissance gebauten
Palais Borsig und dem Südflügel des barocken Reichskanzlerpalais. Die Jury, die einen ersten Preis nicht vergeben
mochte, befand, daß Siedler im Vergleich mit allen anderen
Entwürfen die Aufgabe am besten gelöst hatte. Die großen
liberalen Blätter hoben hervor, daß der Siedler-Bau wegen
seiner nüchternen «Unaufdringlichkeit schön und vor-
nehm» sei. Viele äußerten sich ablehnend. «Es fehlt nur
noch die jetzt übliche steile Lichtreklame, um einem Regie-
rungsbau ganz den Charakter von Krankenhaus, Kino oder
Hotel zu geben», hieß es in einer lokalen Berliner Zeitung.

Aber da lag ja das doppelte ästhetisch-politische Dilemma
der Republik. Man konnte ihre inneren Widersprüche sichtbar machen und zwischen den Gegensätzen in der Sprache
der politischen Symbolik und Architektur vermitteln wollen, auflösen ließ sich der Grundkonflikt zwischen Monarchisten und Republikanern damit natürlich nicht. Noch weniger war das hinter dieser Kritik aufscheinende Verlangen
nach der großen visuell-räumlichen Geste zu befriedigen,
der Darstellung von etwas national Erhebendem, das die
Monarchie immerhin geboten hatte.

Auch Adolf Hitler, der neue Hausherr, hatte für den Siedler-Bau nur Verachtung. Er nannte ihn ein «Feuerwehrge-
bäude» oder titulierte ihn gegenüber seinem nachmaligen
Chef-Architekten als Verwaltungsbau eines «Seifenkon-
zerns», wie dieser später berichtet hat. 1935 wurde Speer
von Hitler beauftragt, einen Balkonanbau vorzunehmen.

Der Kanzler und «Führer» der Deutschen wollte sich nicht länger zum Fenster hinausbeugen müssen, sondern die Grüße und die Jubelrufe der Massen, die ihn in der noch fernsehlosen Zeit immer wieder «live» zu sehen wünschten, in der ihm angemessen erscheinenden Weise entgegennehmen können. Aber das sollte nur ein bescheidener Anfang sein. Für seine Selbstdarstellung und das von ihm repräsentierte «Dritte Reich» strebte er in ganz andere Dimensionen, was allerdings zunächst verborgen blieb.

Zur nationalsozialistischen Propagandatechnik gehörte es, schon die Baupläne von Großprojekten der Bevölkerung bekanntzugeben, die für verheißungsvolle Bilder empfänglich war. Das brachte wie beim Bau der Reichsautobahn, neuer Industriestädte, Seebäder, Wohnsiedlungen etc. Prestige- und Popularitätsgewinn. Beim frühzeitig geplanten Neubau der Reichskanzlei aber verhielt man sich eigentümlich verschwiegen. Der Baugrund mußte erst noch geschaffen werden. In einem doppelten Sinne. Zunächst stand das weitläufige Gelände zwischen Wilhelm-, Voß- und Hermann-Göring-Straße (heute wieder Friedrich-Ebert-Straße) noch gar nicht zur Verfügung. Wichtiger aber war die politische Lage, die Hitler veranlaßte, die Entscheidung für den Bau erst zum Jahreswechsel 1937/38 publik zu machen. Jetzt erst waren wichtige innenpolitische Hindernisse auf dem Weg zur forcierten Aufrüstung und Annexion Österreichs und des Sudetenlandes beseitigt. Ende Januar 1938 erhielt Speer alle Vollmachten für den Bau der Neuen Reichskanzlei, mit deren Planung bereits 1935 begonnen worden war. Im August war Richtfest. Als neue Hauptstadt des «Großdeutschen Reiches» sollte Berlin das seit dem 13. März zum «Reich» gehörende Wien noch übertreffen, wozu eben auch ein neuer monumentaler Repräsentationsbau gehörte.

Anfang 1939 erfolgte die Einweihung des weitläufigen Gebäudekomplexes, der die Besucher – Parteigenossen, hohe Beamte, Diplomaten, Generäle, Staatsgäste – vor allem beeindrucken und einschüchtern sollte. Auf dem langen Weg ins Innerste der Macht mußten sie durch eine Flucht von Vorhallen und Sälen hindurch, über spiegelglatten, farbigen Marmor hinweg, vorbei an Fenstergalerien und schweren, verschlossenen Türen. Dabei umgab sie eine erdrückende Dekoration aus Gold und Bronze, Wandteppichen und Marmormosaik, schweren Möbeln und Kristallüstern, mit Eichenlaub, Lorbeer, Adlern und Fackeln, deren Wirkung durch indirekte Beleuchtung noch gesteigert wurde.

Die übersichtliche Dreiteilung der Fassade an der Voßstraße vermittelte den Eindruck eines wohlgeordneten Gefüges von Bürotrakten und Repräsentationsräumen. Wo hinter langen Fensterreihen die Verwaltung vermutet werden durfte, befanden sich jedoch nicht selten bloß Lichtschächte oder Luftkammern für die überdimensionierten Repräsentationsräume. Wo gab es das sonst: Bürofenster, hinter denen nicht gearbeitet wurde, einen Kabinettssitzungsraum, den die Minister nicht kannten, weil es keine Kollegialentscheidungen mehr gab, ein Kanzler-Arbeitszimmer, in dem nur Empfänge stattfanden und militärische Lagebesprechungen, schließlich: Repräsentationsräume, die der Öffentlichkeit zwar unzugänglich, aber durch massenhafte Bildverbreitung bestens bekannt waren. So sollten nationale Größe und politische Macht raumbildlich zur Geltung gebracht und zugleich verdeckt werden, worauf sie beruhten, auf einem außerordentlichen Zerstörungspotential. Im Mai 1945 lag diese Illusions- und Repressionsarchitektur in Schutt und Asche – und mit ihr halb Europa.

Ist ein größerer Gegensatz denkbar, baulich, politisch und symbolisch, als der zwischen Albert Speers Reichskanzlei und dem Bundeskanzleramt von Axel Schultes? Auch wenn dieser den berüchtigten Vorgängerbau nicht im Blick gehabt haben dürfte, in gewisser Weise verhalten sich beide wie Bau und Gegenbau zueinander. Sie erscheinen geradezu prototypisch für die Visualisierung von Macht im totalitären und demokratischen System, auf die beide angewiesen sind, aber eben in gegensätzlicher Weise. Speers Reichskanzlei war nicht nur das reale Machtzentrum eines auf Kriegführung angelegten Systems. In der auf Überwältigung zielenden Dekoration der Diktatur kam viel von ihrer repressiven Grundstruktur zum Ausdruck, wenngleich sich der Bau äußerlich in die Wilhelmstraße einfügte. Demgegenüber scheint Schultes' Bau die Grundidee der pluralistischen Demokratie buchstäblich zu verkörpern, ihren permissiven Charakter. Als wollte sein Bau ein Bild der Exekutive des 21. Jahrhunderts inszenieren, die sich längst nicht mehr nur mit dem herkömmlichen Instrumentarium und Aufgabenfeld politisch-administrativen Handelns befaßt. Im Sinne einer auf mehreren Ebenen operierenden Agentur politischer Steuerung muß sie den Prozeß der gesellschaftlichen Themen, Interessen und Konflikte vor allem moderieren und koordinieren, was ihr hohe kommunikative Kompetenz abverlangt und Räume erfordert, in denen ein Optimum medialer Öffentlichkeit herstellbar ist.

Der Wechsel von Speer zu Schultes konnte nicht umstandslos erfolgen, sondern nur in einem mehrstufigen Prozeß. Nach den Maßlosigkeiten staatlicher Selbstdarstellung, rassenideologischer Leitbilder und kriegerischer Zerstörung erschien die Rückkehr zu bürgerlich-traditioneller Solidität und Sachlichkeit in Bonn zunächst alternativlos. Daß der erste Bundeskanzler in das 1860 entstandene Palais Schaumburg einzog, eine weiße, großbürgerliche Villa im Park, war ein unübersehbares Zeichen, Anschluß an diese Tradition zu finden. Der Architekt Hans Schwippert, der in den zwanziger Jahren mit Erich Mendelsohn und Rudolf Schwarz zusammengearbeitet hatte, nahm 1950 Umbauten und Erweiterungen vor. Den veränderten Repräsentationsansprüchen trug der elegante, von Sepp Ruf gebaute Kanzlerbungalow Rechnung, in den Ludwig Erhard einzog, der Mann des «Wirtschaftswunders». Mit dem Machtwechsel zur sozial-

liberalen Koalition und neuen Planungs- und Staatsaufga-
ben, die der Bundesregierung nach der Großen Koalition zu-
gewachsen waren, reichte das alte Kanzleramt nicht mehr.
Ein Neubau wurde unvermeidlich, zumal damals eine Rückkehr nach Berlin in absehbarer Zeit ausgeschlossen erschien.
In den dreigeschossigen und aus drei Blöcken bestehenden
Stahlskelettbau der Planungsgruppe Stieldorf zog 1976 Helmut Schmidt ein. Der unauffällig flache, funktionale und –
so die Jury – «vorbildlich zurückhaltende» Bau hat das
schlechte Image der Bonner Staatsarchitektur zu Unrecht
bestätigt. Vor allem der Architekturhistoriker Heinrich
Klotz trug dazu nach Kräften bei. Zwar räumte er ein, daß
dem Bauen für die Demokratie zwischen den Extremen des
«zweckbestimmten Containerbaus» und einer «gestikulie-
renden Betonmonumentalität» enge Grenzen gezogen sind.
Aber er scheute sich nicht, von einem «schwarzen Tripel-
katafalk» zu sprechen, von dem er mutmaßte, daß in ihm
nur «schwärzeste Seriosität» und «anhaltende Schwermut»
ausgebrütet werden könne. Das war nicht etwa auf den
Rheinländer Kohl gemünzt und lange vor dessen Einzug gesagt. Helmut Kohl hat den Bau wegen seiner inneren, funktionalen Qualitäten im übrigen stets gelobt und verteidigt,
während sein Vorgänger im Amt, Helmut Schmidt, der dem
Bild des «Geschäftsführers der Deutschland GmbH» so sehr
entsprach, verächtlich bloß von einer «übergroß geratenen
Sparkasse» sprach.

Sein Gegenstück erhielt dieser Kanzleramtsbau in Berlin:
im Staatsratsgebäude der DDR, das Anfang der 1960er Jahre
von dem Architektenkollektiv Roland Korn errichtet wurde.
Auch dieses Gebäude – ein natursteinverkleideter Stahlskelettbau – kann als Abkehr von gesamtdeutschen Zukunfts-
plänen verstanden werden. In der Verbindung von moderner
Konstruktion und historischer Architektur (in die Fassade
wurde das «revolutionäre» Lustgartenportal des Hohenzollernschlosses eingefügt) verkörpert er den Anspruch nach

traditionsbewußter Abgrenzung und Eigenständigkeit der DDR als «sozialistischer Staat». Der Kohl-Nachfolger Gerhard Schröder ist dort 1999 vorübergehend eingezogen und wäre wohl in diesem Bau von schlichter, funktionaler Modernität gern geblieben.

STADTSCHLOSS ODER VOLKSPALAST

Was gehört in die Mitte?

Nicht wenige sehen in der Stadtmitte die symbolische Staatsmitte. Sie ist seit langem ein Ort der Leere. Alles scheint von ihm abzurücken, wenig gibt dem Auge perspektivische Richtung und dem Raum Begrenzung. Schinkels Altes Museum flieht samt Lustgarten im Norden aus dem Blick, das Staatsratsgebäude hält ihn im Süden nicht. Selbst der massige Kaiserdom, Wilhelms II. «Kathedrale für die Protestanten der Welt», steht zu ihm eigentümlich beziehungslos – wie ein einsames Fossil aus vergangener Zeit. Viel wurde im Krieg zerstört, viel ist auch zu DDR-Zeiten abhanden gekommen – erst das Schloß, dann Schinkels Bauakademie, schließlich die DDR selbst, die dort so oft und so martialisch selbstbewußt und zukunftsgewiß ihre formierten Massen farben- und fahnenfroh demonstrieren ließ. Nur den Namen hat diese zum Aufmarschareal verkommene, trostlose Brache wieder zurückbekommen: ‹Schloßplatz› erinnert daran, was der Stadt einmal Mittelpunkt und urbanes Zentrum war. Für den Förderverein Berliner Stadtschloß und seine Sympathisanten bedeutet der Name beflügelnde Verheißung und Verpflichtung zugleich, für die Schloßgegner ist er bloß ein Alptraum. In diesen Konflikt haben inzwischen die nationalen Volksvertreter eingegriffen. Schließlich geht es um die Hauptstadtmitte, in der mancher so etwas wie eine symbolische Staatsmitte sehen möchte.

Am 4. Juli 2002 beschloß der Bundestag mit 384 gegen 133 Stimmen, das 1950 auf Veranlassung von Ulbricht gesprengte Berliner Hohenzollernschloß als Teilrekonstruktion wieder aufzubauen. Damit war zunächst eine – dem Streit um das Holocaust-Mahnmal insoweit vergleichbare

Um den Wiederaufbau des Stadtschlosses zu befördern wurde 1993/94 eine kulissenhafte Wiedererrichtung realisiert: als Raumgerüst, bespannt mit handgemalter Schlossfassade.

– leidenschaftliche und hochkontroverse Debatte nach über zehn Jahren vorerst abgeschlossen. Beinahe hätte die Abstimmung einen Tag vorher stattgefunden, am Jahrestag der Schlacht von Königgrätz, als die preußischen Truppen 1866 Österreich besiegt hatten. Das hätte den Schloßgegnern ein womöglich willkommenes, aber eben auch recht vordergründiges Argument zugespielt. Die Debatte hatte keinen Zweifel daran gelassen, daß es nicht um die Wiederherstellung eines Geschichtsdokumentes geht. Gefordert ist die Schließung einer städtebaulichen Lücke. Seit Jahrzehnten fehlt der zentrale Fixpunkt auf der Museumsinsel zwischen Brandenburger Tor, Lustgarten und Alexanderplatz. So war es richtig und überfällig, daß sich die Abgeordneten, wie zuvor schon die Kommission unter Hannes Swoboda, nach Kräften darum bemühten, die hochideologische Debatte zu versachlichen. Mancher machte es sich dabei aber auch wiederum zu einfach, wenn er in süffisantüberheblichem Unterton zum Ausdruck brachte, daß nun der «deutsche Kult um die offene Wunde» (Antje Vollmer) endlich beendet sei. Als ließen sich die gewichtigen kritischen Argumente der Schloßgegner darauf reduzieren.

Mochte auch eine kontroverse und auf Dauer fruchtlose Debatte um das Pro und Kontra beendet sein, die eigentliche Arbeit hätte nun erst beginnen sollen, insbesondere die Erarbeitung eines Nutzungs- und Finanzierungskonzepts. Aber die Haushalts- und Finanzkrise erzwang ein Moratorium. Und schnell wurde es wieder still um den Wiederaufbau. So sehr sich auch der Förderverein unter seinem rührigen Vorsitzenden, dem Hamburger Landmaschinen-Kaufmann Wilhelm von Boddien, um Spolien und Sponsoren, um öffentliches Interesse und ein Finanzierungsmodell bemüht.

Der Wunsch nach Rekonstruktion des Schlosses hat jedoch keinen wirklich Begeisterung entfachenden Funken ins öffentliche Geschichtsbewußtsein überspringen lassen. Ganz im Gegensatz zum Wiederaufbau der Dresdner Frauenkirche. Die hohe emotionalisierende Kraft, die von dieser Symbolkirche als Wahrzeichen der Elbmetropole und als Mahnmal für den Bombenkrieg ausgeht, haben Idee und Beschluß, das Schloß wieder aufzubauen, nicht freisetzen können. Nicht unter den Berlinern, nicht unter den Bundesbürgern, nicht mit den vielen Großanzeigen, nicht durch die verblüffende Schloß-Simulation von 1993/94 und auch nicht durch das anspruchsvolle Projekt von Goerd Peschken und Frank Augustin. Sie hatten 1991 vorgeschlagen, den barocken Stadtraum wiederherzustellen, mit Fotofassaden des Schlosses und unter Beibehaltung des Palastes der Republik.

Für ihr stadträumliches Identifikationsbedürfnis, das in der Hauptstadt nach politisch plausiblen, aber auch emotional anschlußfähigen Bauten sucht, bietet das Schloß zu wenig. Ganz im Gegensatz zum Palast der Republik, den viele Berliner und Besucher der Stadt seit seiner Asbestsanierung und Wiederöffnung im Sommer 2003 geradezu spielend wieder in Besitz genommen haben. Und damit gar kein Zweifel aufkommt,

wer dort nur der neue Hausherr sein kann, steht der Schrift-
zug «Volkspalast» auf der Fassade dieses erbärmlich herunter-
gekommenen Baus. Das Volk strömt seitdem in Scharen zu
den Veranstaltungen, die der erfindungsreiche und listige
Verein Palast-Zwischennutzung organisiert. Den Beginn des
beschlossenen Abrisses möchte man hinauszögern – mindestens bis zum Baubeginn des Schlosses. Bis dahin könnte die
neue, vom Volkspalast ausgehende Vitalität in der Stadtmitte
den Schloßstreit endgültig zum Verstummen bringen.

Gleichwohl: Die Debatte um beide Gebäude war nicht nur
unvermeidlich, sie war auch nützlich und notwendig. Denn
diese beiden so ungleichen Bauwerke, seit Jahrzehnten inexi-
stent das eine, zum Stahlskelett abgemagerte Ruine das andere,
haben etwas sehr Bedeutsames gemein: Sie sind oder waren
Symbole der deutschen Einheit, wie umstritten auch immer.
War der Palast der Republik, auch als Gegenbau zur Bonner
Parlamentsarchitektur, zunächst Bekräftigung der deutschen
Zweistaatlichkeit, wurde er schließlich zum Symbol für die
Überwindung der deutschen Teilung. Demgegenüber steht
das Schloß für die deutsche Reichseinheit, auch wenn es stets
mehr preußische Residenz war. Ein kurzer Rückblick.

Es ist aus einer markgräflichen Burg der fränkisch-süd-
deutschen Hohenzollern hervorgegangen, die Mitte des
15. Jahrhunderts am Spreeufer von Berlin-Cölln entstand.
Nachdem sich die Bürgerschaft der Doppelstadt im ‹Berliner
Unwillen› vergeblich gegen den Herrschaftsanspruch der
Hohenzollernfürsten erhoben hatte, errichteten diese an-
stelle der Burg in der Mitte des 16. Jahrhunderts einen Re-
naissancebau. Seine eigentliche Ausgestaltung erfuhr die
kurfürstliche, seit 1701 königliche Residenz durch den Bild-
hauer-Architekten Andreas Schlüter und seinen Konkurrenten und Nachfolger Johann Friedrich Eosander von Gö-
the. Sie gaben dem dreigeschossigen Barockbau, einem in
zwei Innenhöfe gegliederten Kubus, seinen reichhaltigen Figurenschmuck und die plastische Gliederung seiner Innen-

und Außenfassaden. Damit war das Stadtschloß, wie einer
der besten Kenner urteilt, «in seiner künstlerischen Qualität gleichsam auf europäisches Niveau gehoben». Mitte des
19. Jahrhunderts erhielt das Schloß über dem großen, westlichen Eingangsportal (III, dem Eosanderportal) durch August Stüler und Albert Schadow eine Kuppel. Zum einhundertsten Geburtstag Wilhelms I. wurde auf der sogenannten
Schloßfreiheit am Kupfergraben zu Ehren des Reichsgründungskaisers das Reiterstandbild von Reinhold Begas errichtet. Mit der Schloßbrücke stellte Karl Friedrich Schinkel
die Anbindung zur westlichen Stadt, her. Der Durchbruch
der Kaiser-Wilhelm-Straße (jetzt Karl-Liebknecht-Straße)
Ende des 19. Jahrhunderts öffnete schließlich die Mitte zum
Alexander-Platz, also zur östlichen Stadt und unterstrich,
was dieser Ort längst war, das politische und kulturelle Gravitationszentrum der inneren Stadt.

Aber natürlich ist nicht nur der städtebauliche sowie architektonische und künstlerische Rang des Hohenzollernschlosses von Belang, wenn es um das Für und Wider seiner
Rekonstruktion geht. Gewiß, sie gibt dem ruhelosen Auge
Halt und dem gekränkten nationalhistorischen Stolz Trost in
der zeitlosen Erhabenheit und Schönheit des Schlüter-Hofes
und des Eosander-Portals. Aber selbst die Schloß-Befürworter räumen ein, daß «Schönheit allein» nicht zur «Symbolarchitektur» (Dieter Bartetzko) taugt. Und danach muß an
diesem Ort vor allem gefragt werden, nach der Nutzungsgeschichte dieses Baus und seiner daraus ableitbaren politisch-symbolischen Bedeutung.

Das Schloß war in seiner fünfhundertjährigen Geschichte
mehr als nur der «Wohnsitz von Kurfürsten, Königen und
Kaisern» und das Zentrum des höfischen Lebens. Der Berliner Historiker Wolfgang Neugebauer spricht zu Recht von
der «Polyfunktionalität» dieses Geschichtsortes. In ihm fand
das rege Wechselspiel von Bau- und Außen- bzw. Innenpolitik seinen vielfältigen Niederschlag. Schon früh sprach man

von «Staatsbaukunst» und meinte damit den inneren und äußeren Ausbau Preußens ebenso wie den des Stadtschlosses, mit der durchdachten Ästhetik und Funktionalität seiner Raumordnung, seinen politischen Stilelementen und Bildern. Sein politischer Status wurde durch repräsentative Veranstaltungen wie Ordensfeste, Staatsempfänge und diplomatische Aktionen definiert, aber auch dadurch, daß es das Staatsarchiv und die königliche Schatzkammer beherbergte, der Ort der Hof- und Landesverwaltung war, der Finanz- und Militärbehörden, Sitz des Kammergerichts und nicht zuletzt der Tagungsort der Ständeversammlungen. An dieser Tradition hielt man in Preußen bis weit ins 19. Jahrhundert fest, denn der König eröffnete die Land- bzw. Reichstage im Weißen Saal des Schlosses. Daß es dabei weniger um die parlamentarische Institution, sondern um die Einheit des Reiches ging, war nicht zuletzt daran ablesbar, daß beim Einzug des Regenten stets die Reichsinsignien vorangetragen wurden. Seit den Tagen des ersten Preußenkönigs hat man im Schloß vor allem eine politische «Necessität» gesehen und weniger eine königliche Residenz.

Friedrich Wilhelm I., der ‹Soldatenkönig›, und sein Sohn, Friedrich der Große, haben das Schloß weitgehend gemieden und die Soldatenstadt Potsdam zur zweiten Residenz ausgebaut. So wurde es ein Symbol des preußischen Machtstaates, das viel erzählt über die allmähliche Verwandlung traditional-personaler Amtsstrukturen in behördenförmige Apparate. Um 1800 hatte das Stadtschloß den Charakter eines öffentlichen Verwaltungsgebäudes mit beachtlichem Publikumsverkehr. Zwar wurde es im Verlauf des 19. Jahrhunderts wieder stärker für repräsentative Zwecke der Hofgesellschaft genutzt. Auch diente es als eine Art Staatsgästehaus. Die preußischen Könige haben das «fürstliche Hotel» nach Möglichkeit gemieden. Der öffentlichkeitsscheue und sparsame Friedrich Wilhelm III. wohnte, wenn er in Berlin weilte, im Kronprinzenpalais, wie auch der sprichwörtlich anspruchs-

lose Wilhelm I. Während Wilhelm II., in krassem Gegensatz
zum Großvater, die höfische Kultur vor ihrem Ende noch zu
einer «Spätblüte» (John C. Röhl) entwickelte, auch um die
Spitzen der aufgestiegenen besitz- und bildungsbürgerlichen
Gesellschaft zu integrieren. Das Schloß benutzte er nur als
Winterresidenz.

1918 wurde es «Eigentum des Volkes» (Karl Liebknecht),
was das Haus Hohenzollern allerdings nicht hinderte, mit
Genehmigung des preußischen Finanzministers mehr als
50 Eisenbahnwaggons mit Mobiliar und Kunstwerken aus
dem Schloß zu beladen – für den Eigenbedarf im holländi-
schen Exil. Die freigewordenen Räume bezogen Museen, Bibliotheken, Theater und wissenschaftliche Einrichtungen,
wie die Notgemeinschaft der deutschen Wissenschaft, der
Deutsche Akademische Austauschdienst und die Kaiser-Wil-
helm-Gesellschaft zur Förderung der Wissenschaften. Sie
machten das Schloß zu einem kulturellen Zentrum der Republik und ihrer Hauptstadt. Ein nationales, bürgerliches
Symbol wurde es in den kurzen Jahren der Weimarer Republik dadurch nicht. Für die Nationalsozialisten hatte das
Preußenschloß nur geringen Wert. Hitler hat es, soweit bekannt, nie betreten. Die Dekorateure der Diktatur haben sich
vor allem für die mächtigen Außenwände interessiert und
die dreißig Meter hohen Fassaden bei Massenaufmärschen
mit Hakenkreuzfahnen behängt – und so das Schloß des
öfteren verhüllt.

Am 3. Februar 1945 brannte der durch einen Bomben-
großangriff schwer getroffene, monumentale Bau bis auf die
Nordwestecke mit dem Weißen Saal aus. Die Granaten der
Endkampfartillerie im April setzten das Zerstörungswerk
fort, aber die jahrhundertealten, massigen Mauern hielten
stand. Auch der kostbare Bildschmuck des Schlüterhofes
überstand das Inferno. Erst der politische Zerstörungswille
der neuen Machthaber nach 1945 brachte die wiederaufbau-
fähige und auch schnell wieder (u. a. für Ausstellungen und

Filmaufnahmen) genutzte Vollruine zu Fall. So sehr sich auch insbesondere der Architekt und Städtebauer Hans Scharoun sowie der Kunsthistoriker und renommierte Ordinarius der Humboldt-Universität, Richard Hamann, für den Erhalt des Schlosses einsetzten, dessen Qualität sie mit dem St. Petersdom in Rom und dem Pariser Louvre gleichsetzten. Vergeblich. Auf Anweisung von Walter Ulbricht und Beschluß des 3. SED-Parteitages wurde die Schloßruine Ende 1950 gesprengt, Voraussetzung dafür, daß an dem Ort ein großer Demonstrationsplatz entstehen konnte, auf dem der «Kampf- und Aufbauwille» eines vorgeblich neuen, sozialistischen Deutschland zum Ausdruck kommen sollte.

Hier setzt nun das – neben dem ästhetisch-städtebaulichen – zweite Argument der Befürworter des Wiederaufbaus an. Sie treibt eine zweifache *damnatio memoriae* um. Sie wollen die DDR vergessen machen und sich zugleich für Ulbrichts Umdeutung der preußisch-deutschen Geschichte rächen, indem sie die Schandtat eines «missionarischen Vandalismus» (Alexander Demandt) aufheben. Wer so argumentiert, sollte allerdings nicht verschweigen, daß auch im Westen, der gern gegen die Geschichts- und Kulturlosigkeit der Kommunisten im Osten zu Felde zog, der Abriß mancher Schloßruine (Charlottenburg, Stuttgart, Hannover) erwogen oder in Wettbewerben freigestellt wurde, und im Fall des Braunschweiger Schlosses auch vollzogen worden ist. Man muß auch daran erinnern, daß die Berliner und deutsche Öffentlichkeit von einer anderen Geschichtslosigkeit überhaupt keine Notiz nahm, dem zeitgleichen Abriß einer ebenfalls wiederaufbaufähigen Vollruine, dem Prinz-Albrecht-Palais, immerhin einem Schinkel-Umbau – und wenige Jahre zuvor der weltweit gefürchtete und verhaßte Sitz der Befehlszentrale der Gewaltverbrechen.

Im übrigen ist Ulbricht nicht der erste gewesen, der mit dem Abriß eine zukunftsorientierte Perspektive verband. Auch für die Verfechter der städtebaulichen Moderne Weimars im Umkreis von Martin Wagner, die aus Berlin bekanntlich eine moderne Weltstadt machen wollten, war der Schlüter-Bau nicht sakrosankt. Adolf Behne forderte Anfang der dreißiger Jahre zumindest einen Teilabriß des Schlosses, weil durch ihn Berlin und Europa räumlich-symbolisch «in zwei Hälften zerschnitten» würde – Ausdruck einer überlebten dynastischen Politik.

Gegen eine Teilrekonstruktion des Schlosses hat sich nicht zuletzt die große Mehrheit der Kunsthistoriker und Denkmalpfleger ausgesprochen. Ihre Potsdamer Erklärung von 1991 sagt unmißverständlich: «Die überlieferte materielle Gestalt ist als Geschichtszeugnis unwiederholbar wie die Geschichte selbst.» Noch etwas weiter ging das Deutsche Nationalkomitee für Denkmalschutz mit seiner Empfehlung, auch die Denkmalwürdigkeit von Bauten aus der NS-Zeit und der DDR zu prüfen. Damit kamen Schloß und Palast wieder gemeinsam ins Blickfeld. Und darauf kommt es vor allem an, sie in ihrem politisch-symbolischen Status vergleichend zu würdigen.

Das Hohenzollernschloß war die längste Zeit seiner Nutzungsgeschichte der Ort, an dem Kurfürsten, Könige und Kaiser residiert, repräsentiert und ihren Staat, ihr Militär, ihre Finanzen und ihr Rechtswesen organisiert haben. In seiner Bedeutung als politischer Bau blieb es ein Preußenschloß. Ein deutsches Nationalsymbol wurde es nie, auch im wilhelminischen Kaiserreich nicht. Immerhin bestand dazu mehrmals die Möglichkeit.

Einer der zentralen Orte, an dem sich die Berliner Bevölkerung gern versammelte, war der Lustgarten, der Platz vor dem Portal IV des Schlosses. Dort fanden die Huldigungen der preußischen Könige statt. Dort machte Friedrich Wilhelm IV. in der revolutionären Stimmung der Märztage 1848 seine Zugeständnisse, begannen die Barrikadenkämpfe, nachdem Soldaten versehentlich Schüsse abgefeuert hatten; dort wurde er am folgenden Tag gezwungen, den im Schloßhof aufgebahrten Toten die letzte Ehre zu erweisen. Anders als die Pariser, die den Kopf ihres Königs Ludwig XVI. verlangten, begnügten sich die Berliner damit, ein Stück verkehrte Welt zu inszenieren. Der König mußte vor den Märzgefallenen lediglich den Helm abnehmen und barhäuptig erscheinen. Das gleiche geschah, als Tage später der Trauerzug mit den Toten Richtung Friedrichshain am Schloß vorbeizog. Nun grüßten seine selbstbewußt gewordenen Untertanen nicht zu ihm hinauf, sondern der Monarch zu ihnen herunter. Zu einer Revolution sind die Märzereignisse erst durch die Totenfeier umgedeutet worden. Eine Erhebung in ganz Deutschland haben sie nicht nach sich gezogen, und das Preußenschloß hat durch sie keine Symbolisierung erfahren, die über die Landesgrenzen hinausgewirkt hätte.

Auch nach der militärisch durchgesetzten Reichsgründung hat es keinen reichsnationalen Status erworben. Die Kaiserproklamation fand am 18. Januar 1871 in Versailles statt. Die Verabschiedung der Verfassung durch Bundesrat und Reichstag am 16. April 1871, staatsrechtlich gesehen der eigentliche Reichsgründungsakt, erfolgte im Reichstag ohne festlichen Akt. Dieses Datum blieb so blaß wie andere Tage, an denen in Deutschland Verfassungen beschlossen wurden oder in Kraft getreten sind.

Auch Karl Liebknecht ist es nicht gelungen, das Hohenzollernschloß zu einem nationalen Symbol zu machen, als er am 9. November 1918 von jenem Balkon des Portals IV die sozialistische Republik ausrief, von wo aus Wilhelm II. am 1. August 1914 der Bevölkerung den Kriegsbeginn verkündet hatte. Liebknecht wollte macht- und symbolpolitisch an 1848 anschließen und die Hohenzollernmonarchie durch eine sozialistische Republik ersetzen. Aber die politische Entwicklung war über diese Alternative mit der Parlamentarisierung der Reichsverfassung schon hinausgegangen. Über den längst eingeleiteten Systemwechsel zur parlamentarischen Demokratie wurde jedenfalls nicht im Schloß entschieden. Der Ort blieb ein politischer Nebenschauplatz, wenn auch ein blutiger. Bei der Beschießung des Schlosses setzten sich Regierungstruppen gegen die revolutionäre Volksmarinedivision durch. Die Bevölkerung solidarisierte sich mit den Getöteten und Verletzten, was auch bei den Trauerfeierlichkeiten zum Ausdruck kam – und an die Märzereignisse von 1848 erinnerte.

Anders als das Schloß hat nun aber der Palast der Republik zumindest in seiner Spätphase den Status eines gesamtdeutsch-nationalen Symbols erworben. Dort wurde jene sozialistische Republik zurückgenommen, die Liebknecht gut siebzig Jahre zuvor ausgerufen hatte. Dort wurden am 18. März 1990 die ersten freien Wahlen der DDR ausgezählt. Dort, im Plenarsaal der Volkskammer, beschwor der erste und letzte frei gewählte Ministerpräsident der DDR, Lothar de Maizière, in seiner Regierungserklärung am 19. April 1990 die deutsche Einheit. Dort beschloß die erste frei gewählte Volkskammer schließlich am 23. August 1990 den Beitritt der DDR zum Geltungsbereich des Grundgesetzes der Bundesrepublik Deutschland. Dann wurde der Palast wegen Asbestverseuchung geschlossen und zum Entsorgungsfall der deutschen Einheit.

In Vergessenheit geriet schnell, daß der Stahlskelettbau, den das Kollektiv um Heinz Graffunder mit großflächiger, opaker Verglasung und Marmorverkleidung 1976 nach kurzer Bauzeit vollendete, als Volks- und Staatspalast in der Tradition sozialistischer Kulturhäuser steht und sich bei der DDR-Bevölkerung großer Beliebtheit erfreute. Dort trafen sich täglich mehr als 14 000 Menschen aus Berlin und der DDR, in gut dreizehn Jahren etwa 70 Millionen. Ein Ort großer Betriebsamkeit und zufälliger Begegnungen, mit Galerie und Gastronomie, Bowling-Bahn, Foyers, Theater, großem Festsaal und (kleinerem) Plenarsaal.

In Vergessenheit geriet auch, daß am Ende das beliebte Volkshaus der DDR der Ort einer demonstrativ souveränen

Volksversammlung wurde – anders freilich, als es sich seine
Erbauer vorgestellt hatten. Am Vorabend des vierzigsten
Geburtstages der DDR wurde die SED-Führung, die sich im
Palast zu einer Jubiläumsfeier versammeln wollte, mit laut-
starken Protestchören von DDR-Bürgern konfrontiert, die
gesellschaftliche und politische Reformen verlangten. Wie
kaum ein anderer steht dieser Bau damit für das Gründungs-
ereignis der deutsch-deutschen Vereinigung, wie kein anderer gibt er den Parolen des neuen Souveräns sinnbildlichen
Ausdruck. «Wir sind das Volk» skandierten die Massen gegen die verhaßten Führer der vorgeblichen Volksdemokratie,
um den politischen Wandel einzuleiten. Und in einem zweiten Schritt forderten sie die Wiederherstellung staatlicher
Einheit «Wir sind *ein* Volk!» Deshalb sollte man den Palast
erhalten, in welch veränderter Form auch immer, was Korrekturen im Grundriß einschließen könnte.

Nostalgische Blickverengung ist dort so wenig am Platze
wie westliche Abwicklungslust. Wer vom Schloß träumt,
verkennt die Zeit. Wer gar, wie das Anfang 2005 in einem
«Positionspapier Neuaufbau Schloßareal» des Bundesbau-
und Bundesfinanzministeriums geschehen ist, eine «überwiegend privat kommerzielle Nutzung» des Schloßareals
vorschlägt, verkennt den historischen Ort und handelt zumindest fahrlässig geschichtsvergessen. Wer etwas ganz
Neues will, verkennt die aktuelle Lage. Berlin hat bereits,
wonach es sucht, und es beginnt gerade, seine «größte Ruine
in eine populäre Bühne» (Niklas Maak) und die triste Stadtmitte in ein zeitgemäß vitales, kreatives Zentrum zu verwandeln. Darin könnte der Volkspalast zu jenem urbanen
Kommunikationsraum werden, wie ihn der Architekturvi-
sionär Cedric Price mit seinem *Fun Palace* vor Jahrzehnten
entwarf, eine in den Vertikalen und Horizontalen mobile architektonische Großstruktur für wechselnde Bedürfnisse
und Nutzungen. Was vom DDR-Palast übrig blieb, ähnelt
ihm in erstaunlicher Weise.

ANHANG

ERLÄUTERUNGEN ZUM TEXT

Adler: Als Symbol des Himmels, der Sonne und der göttlichen Herrschaft hat der A. Eingang in die Wappen vieler Länder und fürstlicher Geschlechter gefunden. Als Begleiter Jupiters wurde er römisches Macht- und Rechtssymbol. Karl der Große, 800 n. Chr. zum imperator und augustus erhoben, übernahm den einköpfigen A. als Zeichen kaiserlicher Macht. Die Kirche sah im A. zunächst ein heidnisches Symbol, aber schon Kaiser Otto III. wurde im Bamberger Evangeliar mit einem Adlerzepter gezeigt. Wenig später führte Konrad II. den A. im Thronsiegel. In der Manessehandschrift und in der Züricher Wappenrolle kam zum schwarzen A. im goldenen Schild die rote Farbe der Fänge, des Schnabels und der Zunge hinzu. Damit waren heraldisch jene Farben fixiert, die im frühen 19. Jh. im ‹deutschen Dreifarb› erscheinen, die auf die Uniform der ‹Lützower› und damit auf die Befreiungskriege zurückgehen, aber doch zugleich als ‹Reichsfarben› angesehen wurden.

Unter dem Staufenkaiser Friedrich II., tauchte um 1200 der Doppeladler (D.) auf; unter Kaiser Sigismund wurde er Reichssymbol. Der D. symbolisiert das Heilige Römische Reich Deutscher Nation bis zu seiner Auflösung 1806, wobei der einköpfige A. als Herrschaftszeichen des deutschen Königtums gedeutet werden kann, der D. als das des römischen Kaisertums. Die Gedenkmünze zur Eröffnung der Nationalversammlung in der Paulskirche am 18. Mai 1848 trägt ebenfalls den D. Der preußische König und deutsche Kaiser Wilhelm I. entschied sich 1871 wieder für den alten einköpfigen deutschen Königsadler, während Österreich bis zur Auflösung der Doppelmonarchie 1918 am D. festhielt.

Im modernen Nationalstaat sind Staatssymbole mehr als bloße Hoheitszeichen. Sie werden benutzt als Ausdruck und Medium der Politisierung und ggf. auch der Spaltung der Gesellschaft. Beispielsweise in der Weimarer Republik. Ein Wahlplakat der Deutschnationalen von 1924 zeigt einen aggressiven A. mit offenen Schwingen über schwarz-weiß-roten Farben, der sich auf einen kleinen zersausten Republikadler mit kümmerlicher schwarz-rot-goldener Schärpe stürzt. Der nationalsozialistische Parteiadler schloß daran an: er hatte mit seinen weit ausgebreiteten Schwingen einen drohenden, angriffsbereiten Ausdruck.

Trotz dieser Vorbelastung hat der A. als traditionelles Hoheitszeichen bis heute seine weitgehend ungebrochene Popularität bewahrt.

Der Bundespräsident entschied am 20. Januar 1950, daß «das Bundes-wappen auf goldgelbem Grund den einköpfigen schwarzen Adler zeigt, den Kopf nach rechts gewendet, die Flügel offen, aber mit geschlosse-nem Gefieder, Schnabel, Zunge und Fänge von roter Farbe». Damit übernahm die Bundesrepublik den in Sechseckform stilisierten Reichs-adler der Weimarer Republik unverändert. In Meinungsumfragen der sechziger Jahre nannte fast die Hälfte der befragten Bundesbürger den A. als das nationale Symbol, ein Viertel hielt Schwarz-Rot-Gold dafür, aber nur zwei Prozent das Deutschlandlied.

Eiche/Eichenlaub: Gilt seit der Antike wegen der Härte des Holzes, seines imposanten Wuchses und langen Lebensdauer als Zeichen der Stärke und Männlichkeit. Im 18. Jh. wurde die E. zum Symbol für Hel-dentum und Tapferkeit. Die Sieger von Turnwettkämpfen ehrte man mit E.laub, zum Gedenken der im Krieg gefallenen Soldaten wurden E.haine gepflanzt und Denkmäler mit E.kränzen in dauerhaftem Ma-terial oder Edelmetall geschmückt, wie z. B. in der von Heinrich Tesse-now neugestalteten Neuen Wache in Berlin.

Eisernes Kreuz: Bis heute ist das E.K. Symbol der Bundeswehr. Es hat seinen Ursprung im Erkennungszeichen der Ritter des Deutschen Or-dens – ein weißer Mantel bestickt mit einem schwarzen lateinischen Kreuz. Den indirekten Anstoß zur Einführung eines nicht an Stand und Herkunft gebundenen militärischen Verdienstordens gab der spätere Kaiser Napoleon, der als Erster Konsul der Französischen Republik 1802 den Orden der Ehrenlegion stiftete.

Am 8. Aug. 1811 legte Neidhardt von Gneisenau König Friedrich Wilhelm III. den «Plan zur Vorbereitung eines Volksaufstandes» gegen die napoleonische Fremdherrschaft vor. Dazu gehörte auch die Empfeh-lung einer Auszeichnung für alle, die «gegen den Feind wirklich Dien-ste» leisten. Der König gab Karl Friedrich Schinkel den Auftrag, nach dem Vorbild des Deutschen Ordens, ein schwarzes, in Silber gefaßtes Kreuz aus Gusseisen zu entwerfen. Die Stiftungsurkunde wurde auf den 10. März 1813 datiert, den Geburtstag der 1810 verstorbenen Köni-gin Luise von Preußen. Sie hatte sich durch ihr direktes Engagement in der Stunde der Not in der Bevölkerung große Sympathien erworben. Ihr wurde posthum das erste E.K. verliehen. Das E.K. gab es in drei Klassen: Die beiden untersten (1. und 2. Klasse) Stufen waren dem ein-fachen Soldaten wie dem General zugänglich. Insofern er auch allen im Kriege Gefallenen verliehen wurde, ist das E.K. auch auf Kriegerdenk-mälern und Soldatenfriedhöfen präsent.

Im Deutsch-Französischen Krieg 1870/71 wurde die Stiftung des

E.K. erneuert. Die Zahl der verliehenen Auszeichnungen blieb prozentual ungefähr gleich: Jeder 20.Kriegsteilnehmer erhielt das E.K. 2. Klasse. Wilhelm II. erneuerte die Stiftung im August 1914, verzichtete aber auf sein persönliches Vorschlagsrecht, was zur Abwertung und zur Inflationierung der Auszeichnung wesentlich beitrug: Millionen Kriegsteilnehmer haben sie in beiden Weltkriegen erworben. Trotz der politisch-ideologischen Vereinnahmung des E.K. durch das NS-Regime, das ihr ein Hakenkreuz hinzufügte, hielt die Bundesrepublik daran als Erkennungszeichen der Bundeswehr und als «Sinnbild für Tapferkeit, Freiheitsliebe und Ritterlichkeit» fest. Das Gesetz über Titel, Orden und Ehrenzeichen (1957) hat das umstrittene E.K. «entnazifiziert», aber das Tragen von Auszeichnungen des 2.Weltkrieges erlaubt. Zuletzt ist im Bundestag angeregt worden, das E.K. für die Tapferkeitsauszeichnung von Soldaten im out of area-Einsatz der Bundeswehr wieder einzuführen.

Hakenkreuz: Kreuz, das mit gleichlangen rechtwinkligen oder bogenförmigen Balken eine kreisförmige Bewegung andeutet. In der nordischen Welt und in Indien ist das H. (Swastika) Sinnbild des ewigen Heils, das mit rechts herumlaufendem Haken die aufgehende Sonne, den Tag oder das Leben symbolisiert, mit links herumlaufendem Haken die Nacht und den Tod. Es wird als Sonnenrad, als Symbol des Sonnenlaufs, auch als Thors Hammer, als Symbol der Fruchtbarkeit und des Glücks und allgemein als ein Heilszeichen angesehen, kommt in der christlichen Kunst aber nur sehr selten vor. Seit Ende des 19. Jahrhunderts wird es durch die völkisch-antisemitischen Bewegungen populär. In der Wiener Zeitschrift Ostara, die sich für ‹Rassereinheit› einsetzt, ist es des öfteren abgebildet. Die 1918 in München entstandene Thule-Gesellschaft führte es in ihre Abzeichen und Ausweise ein, und die Freikorpskämpfer der Brigade Ehrhardt trugen es am Stahlhelm. Hitler hat daraus in Verbindung mit den schwarz-weiß-roten Farben 1920 die neue Parteifahne gemacht und im H. ein Zeichen «des Kampfes für den Sieg des arischen Menschen» gesehen. Die H.fahne wurde 1935 alleinige deutsche Nationalflagge und war im öffentlichen Raum allgegenwärtig, auf Zeitungen und Publikationen ebenso wie durch den politischen Feiertagskult, mit dem eine allgemeine Beflaggungspflicht für jedes Haus verknüpft war.

Hammer, Sichel, Zirkel: H. und S. versinnbildlichen das Zusammengehen von Arbeitern und Bauern und sind – so Chruschtschow 1962 – das «Symbol friedlicher schöpferischer Arbeit». Seit 1924 im Staatswappen der UdSSR und in der Weimarer Republik auf der roten Fahne der KPD. Die DDR hat 1953 Hammer, Ährenkranz und Zirkel als Staatsemblem eingeführt, das 1959 auch Bestandteil der Flagge wurde. Durch den Zirkel fand im «Arbeiter- und Bauernstand» auch die technische Intelligenz ihre symbolische Anerkennung.

Jahrestag/Jubiläum: Der J. ist eine ebenso einfache wie wirkungsvolle Kulturtechnik, die im Bewusstsein der Lebenden vergangene und gegenwärtige Zeit verknüpft und diese Verknüpfung jährlich wiederholt. Dabei handelt es sich nicht selten um Initialereignisse, die langfristig emotionale und rationale Bindungskräfte mobilisieren und für den Zusammenhalt von religiösen Gemeinschaften, Nationen und anderen Großgruppen unverzichtbar sind. Dabei können lebensgeschichtliche Ereignisse herausragender Einzelpersonen, wie etwa Geburt, Kreuzigung und Auferstehung von Jesu Christi, so mit dem Jahreszyklus verknüpft werden, daß das Naturjahr heilsgeschichtlich überformt wird. Neben diesen heiligen Tagen stehen säkulare, politische Jahrestage, insbesondere die Nationalfeiertage. Sie beziehen sich auf herausragende, für das kollektive Gedächtnis langfristig relevante Ereignisse – wie etwa die Erstürmung der Bastille durch das Volk von Paris am 14. Juli 1789 oder die Unterzeichnung der *Declaration of Indenpendence*, durch die sich die amerikanischen Kolonien von der britischen Krone lösten und sich, auf der Grundlage universaler Menschenrechte, zur ersten *new nation* vereinten.

Ein anderer Typus des Jahrestages entstand mit dem päpstlichen Gnaden- oder Jubeljahr. Die Bezeichnung annus iubiläus verbindet diese heiligen Jahre, in denen ein besonderer Ablaß für alle Gläubigen gewährt wurde, mit den Jubiläen bzw. Anniversarien der Moderne. Die Bezeichnung verbindet die Jubeljahre aber auch mit den «Jobeljahren» der hebräischen Bibel bzw. des Alten Testaments. Das Widderhorn, mit dem am Versöhnungstag jedes 50. Jahres das Heilige Jahr ausgerufen wurde, und damit Friede und Freiheit für alle Bewohner des Landes, hieß «jobel».

Maifeiertag: Als der ‹rote Mai› 1890, auf Beschluß der II. Internationale ein Jahr zuvor, als internationaler Arbeiterdemonstrationstag eingeführt wurde, erinnerten nicht nur die Maiallegorien auf den beliebten Bildpostkarten und Titelblättern des *Wahren Jacob* an das seit der Antike nachweisbare Mai- und Frühlingsbrauchtum und damit an den mythischen Gehalt des 1. Mai, mit dem Maibaum als Glücksbringer, dem Maigrün als Zeichen des Frühlingsbeginns, dem Maitau als Schönheitsmittel, dem Mailehen als eine Art vorehelicher Kontaktaufnahme. Auch die Parteipublizistik schwelgte in verheißungsvollen Bildern, sah einen

«Völkerfrühling» heraufziehen und schwärmte von «der Menschheit Frühzeit».

Dabei war der Auftakt, der zur Institutionalisierung dieses internationalen Arbeiterkampf- und Maifeiertages führte, alles andere als friedlich und verheißungsvoll. Am 1. Mai 1886 kam es in Chicago, wo Arbeiter den 8-Stundentag forderten, zu einem Generalstreik, der zu blutigen Unruhen (Haymarket-Tragödie) führte und in einem Justizskandal endete. Auch in Deutschland blieben die 1. Mai-Feiern lange eine Gratwanderung zwischen Konfliktvermeidung und internationaler, kämpferischer Solidarität.

Mochten auch nicht wenige Arbeiter gegen Ende des Kaiserreichs glauben, daß der 1.Mai ein «Tag aus eigenem Recht» (Kurt Eisner) sei, daß ihnen nichts geschenkt wurde, erlebten sie zu Beginn der Weimarer Republik. Der Traum vom «Weltenmai» erfüllte sich nicht. Zwar verabschiedete die Nationalversammlung im April 1919 ein Gesetz, daß den 1. Mai (für ein Jahr) zum «allgemeinen Feiertag» machte. Aber der 1. Mai 1919 wurde in Teilen des Landes zum Tag der Gegenrevolution. In München beendeten Freikorpsverbände die sozialistische Räterepublik auf blutige Weise. Und in Berlin zeigte sich am 1. Mai 1929 («Blutmai»), wie groß inzwischen die Kluft zwischen SPD und KPD war. Der sozialdemokratische Polizeipräsident hatte ein allgemeines Demonstrationsverbot verfügt, die Kommunisten wollten sich aber ihr «Recht auf die Straße» nicht nehmen lassen. Über dreißig Tote und rund 200 Verletzte waren die unmittelbare Folge. Nun erst fand der Sozialfaschismus-Vorwurf bei den kommunistischen Arbeitern breiten Wiederhall. Die Nazis machten den 1.Mai in ihrem zynisch-verlogenen Doppelspiel 1933 zum «Feiertag der nationalen Arbeit», marschierten auch mit den Gewerkschaftsführern, die sich ihnen, um ihre Organisation zu retten, bis zum Selbstverrat angedient hatten, um am 2.Mai die Gewerkschaftshäuser durch SA und SS zu besetzen und führende Funktionäre zu verhaften. Nach 1945 konnten die traditionellen Maifeiern nicht wieder belebt werden. Die Arbeitermilieus hatten sich durch Diktatur und Weltkrieg aufgelöst. Die DDR machte aus den Maifeiern einen internationalistisch inszenierten Staatsfeiertag, während sie in der Bundesrepublik im «Wirtschaftswunder» ihre mobilisierende und identitätsstiftende Funktion für die Arbeiter mehr und mehr verloren.

Rechts und links: Als polare Begrifflichkeit, die auf unterschiedliche Körperseiten und räumliche Richtungen verweist, dient sie vielfältiger Unterscheidung von stark und schwach, gut und schlecht, hell und dunkel etc. Der im allgemeinen stärkeren, geschickteren rechten Hand steht die schwächere, linke (‹linkische›) gegenüber. Bei der üblichen

West-Ost-Orientierung kommt das Licht, die Sonne, das Heil von rechts («ex oriente lux»). In Vergils Aeneis führt der rechte Weg zum Elysium, der linke in die Hölle. Beim Jüngsten Gericht wird den Guten der Platz zur Rechten, den Verdammten aber zur Linken zugewiesen. Der auferstandene Christus «sitzet zur rechten Hand Gottes». Kreuzigungsbilder zeigen den reuigen ‹Schächer› an der rechten Seite Christi, den unbußfertigen an der linken. Nach germanischem Recht stand der Kläger rechts, der Beklagte links des Richters. In vielen Kulturen wird die rechte Seite als die männliche (kämpfende, waffentragende Hand), die linke aber als die weibliche, emotionale (Herzseite, im Kampf der passive, schützende Schildarm) angesehen. Und nicht zuletzt sind aus diesen dualen Begriffen politisch-ideologische Richtungsbegriffe geworden. Sie bezogen sich ursprünglich auf die Sitzordnung der Ständeversammlungen, später auf die der Parlamente, wobei rechts vom Monarchen bzw. Parlamentspräsidenten die höheren Stände und regierungsfreundlichen oder konservativen Kräfte saßen, links aber die niederen Stände und oppositionellen Kräfte ihren Platz fanden. Ob in gouvernementaler oder oppositioneller Rolle, rechts sitzen seitdem die Konservativen und links die Sozialdemokraten.

Volkstrauertag: Das politische Totengedenken der Neuzeit, das dem gewaltsamen Tod jedes einzelnen gewidmet ist, hat durch die Französische Revolution entscheidende Anstöße erfahren. Aber erst nach dem Ersten Weltkrieg, der auf deutscher Seite immerhin zwei Millionen Tote forderte, begannen bürgerschaftliche Initiativen das öffentliche Totengedenken zu organisieren. Angehörige von Gefallenen und Kriegsheimkehrern gründeten 1919 den Volksbund Deutsche Kriegsgräberfürsorge, der sich die Aufgabe stellte, das Andenken der Gefallenen zu pflegen, die Soldatenfriedhöfe zu würdigen Ehrenstätten auszubauen und unbekannte Tote zu identifizieren. Als allgemeiner Trauertag für die Opfer des Krieges wurde zunächst der 28.Juni vorgeschlagen, der Tag, an dem Deutschland den Versailler Vertrag hatte unterzeichnen müssen. Die Länder sprachen sich mehrheitlich für den Totensonntag als Volkstrauertag aus. Aber eine Einigung zwischen ihnen und der Reichsregierung kam nicht mehr zustande. Der NS-Staat machte daraus, im Rahmen seines exzessiven Totenkultes, einen ‹Heldengedenktag› und legte ihn auf den 5.Sonntag vor Ostern.

Die Bundesregierung musste sich erstmals im Herbst 1950 mit dem offiziellen Gedenken der Toten des Dritten Reiches beschäftigen. Bundesinnenminister Gustav Heinemann schlug vor, die Erinnerung an die Kriegsopfer mit dem Verfassungstag und dem Gedenktag für die deutsche Einheit zu verbinden. Bundespräsident Theodor Heuss widersetzte sich. Seit 1952 wird der Volkstrauertag in der Bundesrepublik jeweils am 6. Sonntag vor Weihnachten begangen. Er ist dem Totengedenken der Millionen gewaltsamer Gestorbener aus beiden Weltkriegen und deutscher Gewaltherrschaft gewidmet.

LITERATURNACHWEISE

Ackermann, Volker: Nationale Totenfeiern in Deutschland. Von Wilhelm I. bis Franz Josef Strauß, Stuttgart 1990

Ders.: Zweierlei Gedenken. Der 8. Mai 1945 in der Erinnerung der Bundesrepublik Deutschland und der DDR, in: Holger Afferbach u. Christoph Cornelißen (Hg.): Sieger und Besiegte. Materielle und ideelle Neuorientierungen nach 1945, Tübingen, Basel 1997, S. 315 – 334

Ahrenhövel, Willmuth u. Rolf Bothe: Das Brandenburger Tor 1791–1991. Eine Monographie, Berlin 1991

Akademie der Künste (Hg.): Denkmale und kulturelles Gedächtnis nach dem Ende der Ost-West-Konfrontation, Berlin 2000

Alings, Reinhard: Monument und Nation. Das Bild vom Nationalstaat im Medium Denkmal – zum Verhältnis von Nation und Staat im deutschen Kaiserreich 1871–1918, Berlin 1996

Amos, Heike: Auferstanden aus Ruinen. Die Nationalhymne der DDR 1949 bis 1990, Berlin 1997

Arndt, Adolf: Geist der Politik. Reden, Berlin 1965

Arnold, Sabine R. u.a. (Hg.): Politische Inszenierung im 20. Jahrhundert: Zur Sinnlichkeit der Macht, Wien, Köln, Weimar 1998

Assmann, Aleida: Erinnerungsräume. Formen und Wandlungen des kulturellen Gedächtnisses, München 1999

Assmann, Jan (Hg.): Das Fest und das Heilige. Religiöse Kontrapunkte zur Alltagswelt, Gütersloh 1991

Azaryahu, Maoz: Von Wilhelmplatz zu Thälmannplatz. Politische Symbole im öffentlichen Leben der DDR, Gerlingen 1991

Bartetzko, Dieter: Denkmal für den Aufbau Deutschlands. Die Paulskirche in Frankfurt am Main, Königstein/Ts. 1998

Ders.: Das Spukschloß im Spreesand, in: FAZ v. 28. 8. 1998

Bauch, Kurt: Das Brandenburger Tor, Köln 1966

Bauer, Thomas: «Das Haus aller Deutschen». Der Wiederaufbau der Frankfurter Paulskirche – ein Signal für den demokratischen Neubeginn, in: Düsseldorfer Jahrbuch 69. Bd., 1998, S. 288 – 300

Bauerkämper, Arnd u.a. (Hg.): Der 8. Mai 1945 als historische Zäsur. Strukturen – Erfahrungen – Deutungen, Potsdam 1995

Behrenbeck, Sabine u. Alexander Nütznadel (Hg.): Inszenierung des Nationalstaats, Politische Feiern in Italien und Deutschland seit 1870/71, Köln 2000

Blasius, Rainer: Das Lied für Deutschland. Von Ebert über Heuss bis Weizsäcker: Der lange Streit über die Nationalhymne, in: FAZ v. 29. 4. 2002

Bobbio, Norberto: Rechts und links. Gründe und Bedeutungen einer politischen Unterscheidung, Berlin 1994

Boddien, Wilhelm v. u. Helmut Engel (Hg.): Die Berliner Schlossdebatte – Pro und Contra, Berlin 2000

Brandt, Willy: Erklärung der Bundesregierung zum 8. Mai 1945 durch den Bundeskanzler am 8. Mai 1970 im Deutschen Bundestag, in: Deutscher Bundestag, 6. Wahlperiode, Protokoll der 51. Sitzung, S. 2564–2567

Brix, Emil u. Hannes Stekl (Hg.): Der Kampf um das Gedächtnis. Öffentliche Gedenktage in Mitteleuropa, Wien, Köln, Weimar 1996

Buchner, Bernd: Um nationale und republikanische Identität. Die deutsche Sozialdemokratie und der Kampf um die politischen Symbole in der Weimarer Republik, Bonn 2001

Buddensieg, Tilmann: Berliner Labyrinth. Preußische Raster, Berlin 1993

Büchel, Regine: Der Deutsche Widerstand im Spiegel von Fachliteratur und Publizistik seit 1945, München 1975

Büchten, Daniela u. Anja Frey (Hg.): Im Irrgarten deutscher Geschichte. Die Neue Wache 1818–1993, Berlin 1993

Bundeszentrale für politische Bildung (Hg.), Einigkeit und Recht und Freiheit. Nationale Symbole und nationale Identität, Bonn 1990

Burg, Annegret u. Sebastian Redecke (Hg.): Kanzleramt und Präsidialamt der Bundesrepublik Deutschland. Internationale Architektenwettbewerbe für die Hauptstadt Berlin, Berlin 1995

Busch, Otto: Die Farben der Bundesrepublik Deutschland. Ihre Tradition und Bedeutung (unter Mitarbeit von Anton Schernitzky und Karl Drott), Frankfurt/Main 1954

Cassirer, Ernst: Wesen und Wirkung des Symbolbegriffs, Darmstadt 1956

Conze, Eckart: Aufstand des preußischen Adels. Gräfin Dönhoff und das Bild des Widerstands gegen den Nationalsozialismus nach 1945, in: Vierteljahrshefte für Zeitgeschichte 51(2003) 4, S. 483–508

Cullen, Michael S.: Der Reichstag. Parlament Denkmal Symbol, 2. Aufl. Berlin 1999

Ders.: Der Reichstag. Die Geschichte eines Monuments, Berlin 1983

Ders. u. Uwe Kieling: Das Brandenburger Tor. Ein deutsches Symbol, Berlin 1999

Danyel, Jürgen: Der 20. Juli, in: Francois/Schulze (Hg.): Deutsche Erinnerungsorte, München 2001, Bd. II, S. 220–237

de Bruyn, Günter: Unter den Linden, München 2004

Ders.: Deutsche Zustände. Über Erinnerungen und Tatsachen, Heimat und Literatur, Frankfurt/Main 1999

Demandt, Alexander: Über allen Wipfeln. Der Baum in der Kulturgeschichte, Köln u. a. 2002

Demps, Laurenz: Die Neue Wache. Entstehung und Geschichte eines Bauwerks, Berlin (Ost) 1988

Demski, Eva: Zeit zum Ausschlafen: Deutsche Gedenktage, in: Frankfurter Rundschau v. 14. 6. 1986

Deutscher Werkbund Berlin e. V. (Hg.): Von der Bonner zur Berliner Republik. Öffentlichkeit und öffentlicher Raum in Berlin, Berlin 1998

Dieckmann, Friedrich: Ein wahres Volkshaus, in: FAZ v. 4. 2. 1995

Diers, Michael: Schlagbilder. Zur politischen Ikonographie der Gegenwart, Frankfurt/Main 1997

Dörner, Andreas: Politischer Mythos und symbolische Politik. Der Hermannmythos: zur Entstehung des Nationalbewusstseins der Deutschen, Reinbek bei Hamburg 1996

Ders.: Der Bundestag im Reichstag. Zur Inszenierung einer politischen Institution in der «Berliner Republik», in: Zeitschr. f. Parlamentsfragen 31(2000), S. 237–246

Domansky, Elisabeth: «Kristallnacht», the Holocaust and German Unity: The Meaning of November 9 as an Anniversary in Germany, in: History and Memory, vol. 4 (1992) 1, S. 60–94

Düding, Dieter u. a. (Hg.): Öffentliche Festkultur. Politische Feste in Deutschland von der Aufklärung bis zum Ersten Weltkrieg, Reinbek bei Hamburg 1988

Eichmann, Bernd: Denkmale deutscher Vergangenheit, Bad Honnef 1994

Eisenfeld, Bernd u. a. (Hg.): Die verdrängte Revolution. Der Platz des 17. Juni 1953 in der deutschen Geschichte, Bremen 2004

Emrich, Ulrike u. Jürgen Nötzold: Der 20. Juli 1944 in den offiziellen Gedenkreden der Bundesrepublik und in der Darstellung der DDR, in: Aus Politik und Zeitgeschichte B 26/1984, S. 3–12

Engel, Helmut u. Wolfgang Ribbe (Hg.): Hauptstadt Berlin – Wohin mit der Mitte? Berlin 1993

Dies. (Hg.): Via triumphalis. Geschichtslandschaft «Unter den Linden» zwischen Friedrich-Denkmal und Schloßbrücke, Berlin 1997

Enzensberger, Ulrich: Auferstanden über alles. Fünf Erhebungen, Berlin 1986

Fehrenbach, Elisabeth: Über die Bedeutung der politischen Symbole im Nationalstaat, in: Historische Zeitschrift Bd. 213(1971), S. 296–357

Feldmeyer, Karl: Der Reichstag bewahrt nur Hinweise auf Scheitern und Katastrophen, in: FAZ v. 28. 8. 1999

Flacke, Monika (Hg.): Mythen der Nationen. 1945 – Arena der Erinnerung, Berlin 2004, 2 Bde. (Ausstellungskatalog)

Flagge, Ingeborg u. Wolfgang Jean Stock (Hg.): Architektur und Demokratie. Bauen für die Politik von der amerikanischen Revolution bis zur Gegenwart, Stuttgart 1992

Flamm, Stefanie: Der Palast der Republik, in: Francois/Schulze (Hg.): Deutsche Erinnerungsorte, München 2001, Bd. II, S. 667– 684

Forschungsgemeinschaft 20. Juli e. V. (Hg.): Gedanken zum 20. Juli. Theodor Heuss – Heinrich Lübke – Gustav W. Heinemann – Walter Scheel – Karl Carstens, Einleitung von Helmut Kohl, Mainz 1984

Francois, Etienne und Hagen Schulze (Hg.): Deutsche Erinnerungsorte, München 2001, 3 Bde.

Francois, Etienne u. a. (Hg.): Nation und Emotion. Deutschland und Frankreich im Vergleich. 19. und 20. Jahrhundert, Göttingen 1995

Frankfurter Kunstverein (Hg.): Der deutsche Adler. Funktionen eines politischen Symbols, Frankfurt M. 1973

Frey, Stefanie: Von der «Quatschbude» zum Symbol der Einheit – Das Reichstagsgebäude, in: Constanze Carcenac-Leconte u. a. (Hg.): Steinbruch. Deutsche Erinnerungsorte, Frankfurt/Main 2000, S. 237–248

Friedel, Alois: Deutsche Symbole. Herkunft und Bedeutung der politischen Symbolik in Deutschland, Frankfurt/Main u. Bonn 1968

Gauger, Jörn-Dieter u. Justin Stagl (Hg.): Staatsrepräsentation, Berlin 1992

Gebhardt, Winfried: Fest, Feier, Alltag. Über die gesellschaftliche Wirklichkeit des Menschen und ihre Deutung, Frankfurt/Main, Bern, New York 1987

Gerstenberg, Heinrich: Deutschland, Deutschland über alles! Ein Lebensbild des Dichters Hoffmann von Fallersleben, München 1916

Ders.: Deutschland, Deutschland über alles! Vom Sinn und Werden der deutschen Volkshymne, München 1933

Gibas, Monika u. a. (Hg.): Wiedergeburten. Zur Geschichte der runden Jahrestage der DDR, Leipzig 1999 (Ausstellungskatalog)

Gill, Ulrich u. Winfried Steffani (Hg.): Eine Rede und ihre Wirkung. Die Rede des Bundespräsidenten Richard von Weizsäcker vom 8. Mai 1985 anläßlich des 40. Jahrestages der Beendigung des Zweiten Weltkrieges. Betroffene nehmen Stellung, Berlin 1986

Grimm, Reinhold u. Jost Hermand (Hg.): Deutsche Feiern, Wiesbaden 1977

Grützke, Johannes: Paulskirche «Der Zug der Volksvertreter», Frankfurt/Main 1991

Günther, Ulrich: «… über alles in der Welt»? Studien zur Geschichte und Didaktik der deutschen Nationalhymne, Neuwied 1966

Häberle, Peter: Feiertagsgarantien als kulturelle Identitätselemente des Verfassungsstaates, Berlin 1987

Haltern, Utz: Architektur und Politik. Zur Baugeschichte des Berliner Reichstags, in: Ekkehard Mai und Stephan Waetzoldt (Hg.): Kunstverwaltung, Bau- und Denkmal-Politik im Kaiserreich, Berlin 1981, S. 75–102

Hardtwig, Wolfgang: Geschichtskultur und Wissenschaft, München 1990

Ders.: Nationalismus und Bürgerkultur in Deutschland 1500–1914. Ausgewählte Aufsätze, Göttingen 1994

Haspel, Jörg: Zwischen Hohenzollernschloß und Palast der Republik – Konservatorische Anmerkungen zur Behandlung eines Denkmalortes, in: Gabi Dolff-Bonekämper u. Hiltrud Kier (Hg.): Städtebau und Staatsbau im 20. Jahrhundert, München, Berlin 1996

Hass, Gerhart: 8. Mai 1945 im Spiegel der Geschichtsbetrachtung in der DDR, in: Hans-Adolf Jacobsen u. a. (Hg.): Deutsch-russische Zeitenwende. Krieg und Frieden 1941–1995, Baden-Baden 1995, S. 538–559

Hass, Matthias: Gestaltetes Gedenken. Yad Vashem, das U.S. Holocaust Memorial Museum und die Stiftung Topographie des Terrors, Frankfurt/Main 2002

Hattenhauer, Hans: Geschichte der deutschen Nationalsymbole. Zeichen und Bedeutung, 2. Aufl. München 1990

Haug, Walter u. Rainer Warning (Hg.): Das Fest, München 1989

Heesch, Johannes u. Ulrike Braun: Orte erinnern. Spuren des NS-Terrors. Ein Wegweiser, Berlin 2003

Heinemann, Gustav W.: 25. Jahrestag der Beendigung des Zweiten Weltkrieges, in: Ders.: Reden und Interviews I, hrsg. vom Presse- und Informationsamt der Bundesregierung, Bonn 1970, S. 106–110

Hennis, Wilhelm: Aus Kohls Erbe. Warum wir den 3. Oktober und nicht den 9. November als nationalen Feiertag begehen, in: FAZ v. 28. 9. 2000

Hermand, Jost: Zersungenes Erbe. Zur Geschichte des Deutschlandliedes, in: Basis. Jahrb. für deutsche Gegenwartsliteratur Bd. 7, Frankfurt/Main 1977

Hettling, Manfred und Paul Nolte (Hg.): Bürgerliche Feste. Symbolische Formen politischen Handelns im 19. Jahrhundert, Göttingen 1993

Heuss, Theodor: Politiker und Publizist. Aufsätze und Reden, Tübingen 1984

Hill, Werner (Hg.): Befreiung durch Niederlage. Die deutsche Frage: Ursprung und Perspektiven, Frankfurt/Main 1986

Ders.: Die Affäre Jenninger. Was eine Rede an den Tag brachte: Norddeutscher Rundfunk, 29. 3. 1989 NDR 3 (Manuskript)

Hils-Brockhoff, Evelyn u. Sabine Hock: Die Paulskirche. Symbol demokratischer Freiheit und nationaler Einheit, Frankfurt/Main 1998

Hipp, Hermann u. Ernst Seidl (Hg.): Architektur als politische Kultur. Philosophia practica, Berlin 1996

Hörth, Otto: Gedenkfeiern 1873–1898–1923, Frankfurt/Main 1925

Hoffmann, Godehard: Architektur für die Nation? Der Reichstag und die Staatsbauten des Deutschen Kaiserreichs 1871–1918, Köln 2000

Hütt, Michael u. a. (Hg.): Unglücklich das Land, das Helden nötig hat. Leiden und Sterben in den Kriegsdenkmälern des Ersten und Zweiten Weltkrieges, Marburg 1990

Hütte, Werner Otto: Die Geschichte des Eisernen Kreuzes und seine Bedeutung für das preußische und deutsche Auszeichnungswesen von 1813 bis zur Gegenwart, Phil.Diss., Bonn 1968

Hunt, Lynn: Symbole der Macht. Macht der Symbole. Die Französische Revolution und der Entwurf einer politischen Kultur, Frankfurt/Main 1989

Hurrelbrink, Peter: Der 8. Mai 1945. Befreiung durch Erinnerung, Bonn 2005

Isensee, Josef: Staatsrepräsentation und Verfassungspatriotismus. Ist die Republik der Deutschen zu Verbalismus verurteilt? In: Jörn-Dieter Gauger u. Justin Stagl (Hg.): Staatsrepräsentation, Berlin 1992, S. 223–241

Jeismann, Michael: Die Nationalhymne, in: Francois/Schulze (Hg.), Erinnerungsorte, München 2001, Bd. III, S. 660–664

Kier, Hiltrud: Pro und Contra Rekonstruktion Berliner Stadtschloß, in: Gabi Dolff-Bonekämper u. H. Kier (Hg.): Städtebau und Staatsbau im 20. Jahrhundert, Berlin, München 1996, S. 213–234

Kindler, Helmut: Berlin Brandenburger Tor. Brennpunkt deutscher Geschichte, München 1956

Kirsch, Jan-Holger: «Wir haben aus der Geschichte gelernt». Der 8. Mai als politischer Gedenktag in Deutschland, Köln, Weimar, Wien 1999

Ders.: Nationaler Mythos oder historische Trauer? Der Streit um ein zentrales «Holocaust-Mahnmal» für die Berliner Republik, Köln u. a. 2003

Klein, Ansgar u. a. (Hg.): Kunst, Symbolik und Politik. Die Reichstagsverhüllung als Denkanstoß, Opladen 1995

Klotz, Heinrich: Ikonologie einer Hauptstadt – Bonner Staatsarchitektur, in: Martin Warnke (Hg.): Politische Architektur in Europa vom Mittelalter bis heute – Repräsentation und Gemeinschaft, Köln 1984

Koch, Hans Jürgen (Hg.): Wallfahrtsstätten der Nation, Frankfurt/ Main 1986

Korn, Hans-Enno: Adler und Doppeladler. Ein Zeichen im Wandel der Geschichte, Göttingen 1976

Koselleck, Reinhart: Zur politischen Ikonologie des gewaltsamen Todes. Ein deutsch-französischer Vergleich, Basel 1998

Ders. u. Michael Jeismann (Hg.): Der politische Totenkult. Kriegerdenkmäler in der Moderne, München 1994

Ders.: Stellen uns die Toten einen Termin? In: FAZ v. 23. 8. 1993

Kuhn, Ekkehard: Einigkeit und Recht und Freiheit. Die nationalen Symbole der Deutschen, Berlin, Frankfurt/Main 1991

Kurzke, Hermann: Hymnen und Lieder der Deutschen, Mainz 1990

Landesbildstelle Berlin (Hg.): Materialien zur Geschichte der deutschen Nationalhymne, Berlin 1990

Landesdenkmalamt Berlin (Hg.): Hauptstadt Berlin. Denkmalpflege für Parlament, Regierung und Diplomatie 1990–2000, Berlin 2000

Laschet, Armin u. Heinz Malangré (Hg.): Philipp Jenninger. Rede und Reaktion, Aachen, Koblenz 1989

Leggewie, Claus u. Erik Meyer: «Ein Ort, an den man gerne geht» Das Holocaust-Mahnmal und die deutsche Geschichtspolitik nach 1989, München 2005

Lehnert, Detlef und Klaus Megerle (Hg.): Politische Identität und nationale Gedenktage. Zur politischen Kultur in der Weimarer Republik, Opladen 1989

Leithäuser, Johannes: Erinnerungstruhe einer deutschen Jahrhundertgeschichte? In: FAZ v. 19. 4. 1999

Loewenstein, Karl: Betrachtungen über politischen Symbolismus, in: Gegenwartsprobleme des Internationalen Rechts und der Rechtsphilosophie, Festschr. für Rudolf Laun, Hamburg 1953, S. 559–577

Luftwaffenmuseum der Bundeswehr (Hg.): Das Eiserne Kreuz. Zur Geschichte einer Auszeichnung, Berlin-Gatow 2003

Lurker, Manfred (Hg.): Wörterbuch der Symbolik, Stuttgart 4.Aufl. 1988

Luthardt, Wolfgang u. Arno Waschkuhn (Hg.): Politik und Repräsentation. Beiträge zur Theorie und zum Wandel politischer Institutionen, Marburg 1988

Maak, Niklas: Schaut in dieses Haus, in: FAZ v. 19. 10. 2004

Magistrat der Stadt Frankfurt am Main (Hg.): Johannes Grützke. Der Zug der Volksvertreter zur Paulskirche, Frankfurt/Main 1991

Ders. (Hg.): Die Paulskirche in Frankfurt am Main, Frankfurt/Main 1988

Maier, Hans u. Eberhard Schmitt (Hg.): Wie eine Revolution entsteht. Die Französische Revolution als Kommunikationsereignis, Paderborn u. a. 1988

Maringer, Johannes: Das Kreuz als Zeichen und Symbol in der vorchristlichen Welt, St. Augustin b. Bonn 1980

Marßolek, Inge: 100 Jahre Zukunft. Zur Geschichte des 1. Mai, Frankfurt/Main 1990

Mattussek, Matthias: Das Schloß als Symbol, in: Der Spiegel Nr. 29/ 1998, S. 158–164

Meuser, Philipp: Schlossplatz 1. Vom Staatsratsgebäude zum Bundeskanzleramt, Berlin 1999

Meyer, Thomas: Die Inszenierung des Scheins. Voraussetzungen und Folgen symbolischer Politik. Essay-Montage, Frankfurt/Main 1992

Michels, Robert: Die Soziologie des Nationalliedes, in: Ders.: Der Patriotismus. Prolegomena zu seiner soziologischen Analyse, München und Leipzig 1929

Mick, Günter: Die Paulskirche. Streiten für Einigkeit und Recht und Freiheit, Frankfurt/Main 1988

Mönch, Regina: Wir waren das Volk, in: FAZ v. 13. 6. 2003

Mommsen, Hans: Alternativen zu Hitler. Studien zur Geschichte des deutschen Widerstandes, München 2000

Mommsen, Wolfgang: Die Paulskirche, in: Francois/Schulze (Hg.): Deutsche Erinnerungsorte, München 2001, Bd. II, S. 47–66

Münkler, Herfried: Politische Bilder, Politik der Metaphern, Frankfurt/ Main 1994

Ders.: Politische Mythen der DDR, in: Berlin-Brandenburgische Akademie der Wissenschaften. Jahrbuch 1996, S. 123–156

Ders.: Die Visibilität der Macht und die Strategien der Machtvisualisierung, in: Gerhard Göhler (Hg.): Macht der Öffentlichkeit – Öffentlichkeit der Macht, Baden-Baden 1995, S. 213–230

Naumann, Klaus: Der Krieg als Text. Das Jahr 1945 im kulturellen Gedächtnis der Presse, Hamburg 1998

Needham, Rodney: Right and Left. Essays on Dual Symbolic Classification, Chicago 1973

Nerdinger, Winfried: Architektur Macht Erinnerung. Stellungnahmen 1984 bis 2004, München 2004

Neugebauer, Wolfgang: Residenz – Verwaltung – Repräsentation. Das Berliner Schloß und seine hisorischen Funktionen vom 15. bis 20. Jahrhundert, Potsdam 1999

Ozouf, Mona: Das Pantheon. Freiheit, Gleichheit, Brüderlichkeit. Zwei französische Gedächtnisorte, Berlin 1996

Pélassy, Dominique: Le signe nazi. L'univers symbolique d'une dictature, Paris 1983

Pellens, Karl (Hg.): Historische Gedenkjahre im politischen Bewußtsein. Identitätskritik und Identitätsbildung in Öffentlichkeit und Unterricht, Stuttgart 1992

Petras, Renate: Das Schloß in Berlin. Von der Revolution 1918 bis zur Vernichtung 1950, Berlin 1992

Poscher, Ralf (Hg.): Der Verfassungstag. Reden deutscher Gelehrter zur Feier der Weimarer Reichsverfassung, Baden-Baden 1999

Pünder, Hermann: Zur Geschichte des Reichskanzlerpalais und der Reichskanzlei, Berlin 1928

Quaritsch, Helmut: Probleme der Selbstdarstellung des Staates, Tübingen 1977

Rautenberg, Hanno: Der deutsche Kummerkasten, in: Die Zeit v. 8. 4. 1999

Reichardt, Rolf E.: Das Blut der Freiheit. Französische Revolution und demokratische Kultur, Frankfurt/Main 1998

Reichel, Peter: Politik mit der Erinnerung. Gedächtnisorte im Streit um die nationalsozialistische Vergangenheit, 2. Aufl. Frankfurt/Main 1999

Ders.: Berlin nach 1945 – eine Erinnerungslandschaft zwischen Gedächtnis-Verlust und Gedächtnis-Inszenierung, in: Hipp/Seidl (Hg.): Architektur als politische Kultur. Berlin, 1996, S. 273–296

Ritter, Henning: Es fehlt der gewisse zündende Funke, in: FAZ v. 26. 8. 2004

Rodemann, Karl (Hg.): Das Berliner Schloß und sein Untergang, Berlin 1951

Roeck, Bernd: Der Reichstag, in: Francois/Schulze (Hg.): Deutsche Erinnerungsorte, München 2001, Bd. I, S. 138–158

Roth, Florian: Die Idee der Nation im politischen Diskurs. Die Bundesrepublik Deutschland zwischen neuer Ostpolitik und Wiedervereinigung (1969–1990), Baden-Baden 1995

Sack, Manfred: Das Berliner Schloßgespenst, in: Die Zeit v. 18. 12. 1992

Sandmann, Fritz: Das Deutschlandlied und der Nationalismus, in: Geschichte in Wissenschaft und Unterricht 13(1962) H. 10, S. 636–65

Scharf, Helmut: Kleine Kunstgeschichte des Deutschen Denkmals, Darmstadt 1984

Scheer, Torsten u. a. (Hg.): Stadt der Architektur – Architektur der Stadt Berlin 1900–2000, Berlin 2000 (Ausstellungskatalog)

Schellack, Fritz: Nationalfeiertage in Deutschland von 1871 bis 1945, Frankfurt/Main 1990

Schiller, Dietmar: Die inszenierte Erinnerung. Politische Gedenktage im öffentlich-rechtlichen Fernsehen der Bundesrepublik Deutschland zwischen Medienereignis und Skandal, Frankfurt/Main 1993

Schlie, Ulrich: Die Nation erinnert sich. Die Denkmäler der Deutschen, München 2002

Schmädecke, Jürgen: Der Deutsche Reichstag. Geschichte und Gegenwart eines Bauwerks, München 1994

Schmid, Harald: Erinnern an den «Tag der Schuld». Das Novemberpogrom von 1938 in der deutschen Geschichtspolitik, Hamburg 2001

Ders.: Antifaschismus und Judenverfolgung. Die «Reichskristallnacht» als politischer Gedenktag in der DDR, Göttingen 2004

Schmidt, Thomas: Kalender und Gedächtnis. Erinnern im Rhythmus der Zeit, Göttingen 2000

Schmidt, Thomas E. u. a.: Nationaler Totenkult. Die Neue Wache. Eine Streitschrift zur zentralen deutschen Gedenkstätte, Berlin 1995

Scholz, Hans: Deutschlands Portal. Das Brandenburger Tor, in: Hans-Jürgen Koch (Hg.): Wallfahrtsstätten der Nation. Zwischen Brandenburg und Bayern, Frankfurt/Main 1986, S. 15–24

Schröder, Rainer (Hg.): 8. Mai 1945 – Befreiung oder Kapitulation? Berlin, Baden-Baden 1997

Schuchard, Jutta u. Horst Claussen (Hg.):Vergänglichkeit und Denkmal. Beiträge zur Sepulkralkultur, Bonn 1985

Schütz, Erhard u. Klaus Siebenhaar (Hg.): «Vergangene Zukunft». Revolution und Künste 1789 bis 1989, Bonn u. Berlin 1992

Schuller, Wolfgang: Der Tag der Brüder und Schwestern, in: FAZ v. 17. 6. 2003

Schultz, Uwe (Hg.): Das Fest. Eine Kulturgeschichte von der Antike bis zur Gegenwart, München 1988

Ders. (Hg.): Die Hauptstädte der Deutschen. Von der Kaiserpfalz in Aachen zum Regierungssitz Berlin, München 1993

Seibt, Gustav: Das Brandenburger Tor, in: François/Schulze (Hg.): Deutsche Erinnerungsorte, München 2001, Bd. II, S. 67–85

Seitz, Norbert (Hg.): Die Unfähigkeit zu feiern. Der 8. Mai, Frankfurt/Main 1985

Siedler, Wolf Jobst: Phoenix im Sand. Glanz und Elend der Hauptstadt, Berlin 2000

Speicher, Stephan: Ort der deutschen Geschichte. Der Reichstag in Berlin, Berlin 1995

Speitkamp, Winfried: Die Verwaltung der Geschichte. Denkmalpflege und Staat in Deutschland 1871–1933, Göttingen 1996

Ders.: Denkmalsturz. Zur Konfliktgeschichte politischer Symbolik, Göttingen 1997

Ders.: Krieg, Vernichtung, Demokratie und Diktatur. Das deutsche Ge-dächtnis, in: Edgar Wolfrum (Hg.): Die Deutschen im 20. Jahrhundert, Darmstadt 2004, S. 195–290

Stavginski, Hans Georg: Das Holocaust-Denkmal. Der Streit um das «Denkmal für die ermordeten Juden Europas» in Berlin (1988–1999), Paderborn 2002

Stephan, Peter: Das Stadtschloß ist gar nicht zerstört, in: FAZ v. 16. 4. 2002

Stölzl, Christoph (Hg.): Die Neue Wache Unter den Linden. Ein deut-sches Denkmal im Wandel der Geschichte, Berlin 1993

Tönnesmann, Andreas: Bundesrepublik und DDR: Ihre Staatsbauten in der Konkurrenz der Systeme, in: Gabi Dolff-Bonekämper u. Hiltrud Kier (Hg.): Städtebau und Staatsbau im 20. Jahrhundert, München u. Berlin 1996

Trenkner, Joachim: Schwierigkeiten mit dem Singen. Die Deutschen und ihre Nationalhymnen, in: Frankfurter Rundschau v. 6. 10. 1979

Valentin, Veit und Ottfried Neubecker: Die deutschen Farben. Mit einem Geleitwort von Reichskunstwart Dr. Edwin Redslob, Leipzig 1929

Voigt, Rüdiger (Hg.): Symbole der Politik – Politik der Symbole, Opla-den 1989

Vondung, Klaus: Magie und Manipulation. Ideologischer Kult und poli-tische Religion des Nationalsozialismis, Göttingen 1971

Vorländer, Hans (Hg.): Zur Ästhetik der Demokratie. Formen der poli-tischen Selbstdarstellung, München 2003

Vorsteher, Dieter (Hg.): Parteiauftrag: Ein neues Deutschland. Bilder, Rituale und Symbole der frühen DDR, Berlin 1996 (Ausstellungska-talog)

Vorgänge 76. Zeitschr. für Bürgerrechte und Gesellschaftspolitik, Heft 4/1985 (Vom Umgang mit dem 8. Mai)

Wefing, Heinrich: Kulisse der Macht. Das Berliner Kanzleramt, Stutt-gart u. München 2001

Ders. (Hg.): «Dem Deutschen Volke». Der Bundestag im Berliner Reichstagsgebäude, Bonn 1999

Ders.: Parlamentsarchitektur. Zur Selbstdarstellung der Demokratie in ihren Bauwerken. Eine Untersuchung am Beispiel des Bonner Bun-deshauses, Berlin 1995

Ders.: Demokratischer Tatort: Der neue Reichstag als Symbol der Berli-ner Republik, in: FAZ – Magazin v. 30. 10. 1998, S. 20–29

Weisbrod, Bernd: Der 8. Mai in der deutschen Erinnerung, in: Werk-statt Geschichte 13(1996), S. 72–81

Wendel, Hermann: Die Marseillaise. Biographie einer Hymne, Zürich 1936

Wentzcke, Paul: Die deutschen Farben. Ihre Entwicklung und Deutung sowie ihre Stellung in der deutschen Geschichte, neue Fassung Heidelberg 1955

Wilderotter, Hans: Alltag der Macht. Berlin Wilhelmstraße, Berlin 1998

Willms, Johannes (Hg.): Der 9. November. Fünf Essays zur deutschen Geschichte, München 1994

Wodak, Ruth u. a.: Die Sprachen der Vergangenheiten. Öffentliches Gedenken in österreichischen und deutschen Medien, Frankfurt/Main 1994

Wördehoff, Bernhard: Flaggenwechsel. Ein Land und viele Fahnen, Berlin 1990

Young, James E. (Hg.): Mahnmale des Holocaust. Motive, Rituale und Stätten des Gedenkens, München 1994

Zechlin, Egmont: SchwarzRotGold und SchwarzWeißRot in Geschichte und Gegenwart, Berlin 1926

Ziepa, Andreas: Das Berliner Schloß: Herrschaftssymbol im Wandel der Systeme, in: Constanze Carcenac-Lecomte u. a. (Hg.): Steinbruch. Deutsche Erinnerungsorte. Annäherung an eine deutsche Gedächtnisgeschichte, Frankfurt/Main u. a. 2000, S. 203 – 218

Zimmer, Dieter u. Carl-Ludwig Paeschke: Das Tor. Deutschlands berühmtestes Bauwerk in zwei Jahrhunderten, Stuttgart 1991

Zuckermann, Moshe: Gedenken und Kulturindustrie. Ein Essay zur neuen deutschen Normalität, Berlin 1999

Zweihundert Jahre Brandenburger Tor: Geschichte eines deutschen Denkmals. Der Spiegel, Dokument, Hamburg 1991

BILDNACHWEIS

PERSONENREGISTER